JOYCE MEYER

A MÃE
CONFIANTE

CONDUZA SUA FAMÍLIA COM A FORÇA
E A SABEDORIA DE DEUS

CB018552

1.ª Edição
Belo Horizonte

BELLO
PUBLICAÇÕES

Edição publicada mediante acordo com FaithWords, New York, New York.

Diretor
Lester Bello

Autor
Joyce Meyer

Título Original
The Confident Mom

Tradução
Maria Lucia Godde Cortez / Idiomas & Cia

Revisão
Ana Lacerda, Luísa Calmon/
Daiane Rosa/Idiomas & Cia

Diagramação
Julio Fado

Design capa (adaptação)
Fernando Rezende

Impressão e acabamento
Promove Artes Gráficas

BELLO PUBLICAÇÕES

Rua Vera Lúcia Pereira, 122
Goiania - CEP 31.950-060
Belo Horizonte/MG - Brasil
contato@bellopublicacoes.com
www.bellopublicacoes.com.br

Copyright desta edição
© 2014 by Joyce Meyer
FaithWords Hachette Book Group
New York, NY

Publicado pela
Bello Comércio e Publicações Ltda-ME
com a devida autorização de
Hachette Book Group e todos
os direitos reservados.

Primeira edição — Março de 2016

	Meyer, Joyce
M612	A mãe confiante: conduza sua família com a força e a sabedoria de Deus / Joyce Meyer; tradução de Maria Lúcia Godde Cortez / Idiomas & Cia. - Belo Horizonte: Bello Publicações, 2016. 224p. Título original: The confident mon ISBN: 978-85-8321-019-1 1. Orientação espiritual. 2. Palavra de Deus. 3. Amor de Deus. I. Título.

CDD: 248   CDU: 266

SUMÁRIO

Introdução 5

CAPÍTULO 1: Você Está se Divertindo? 11

CAPÍTULO 2: Não é Preciso ser a Mãe Perfeita 23

CAPÍTULO 3: Deus Pode Cuidar Disso 39

CAPÍTULO 4: Encha o Tanque! 55

CAPÍTULO 5: Mantenha Seus Olhos no Espelho 69

CAPÍTULO 6: Faça uma Pausa... E Creia 83

CAPÍTULO 7: Nada de Sentir Medo! 97

CAPÍTULO 8: Será que Alguém Pode, Por Favor, me Ajudar? 113

CAPÍTULO 9: Ressalte o Positivo 127

CAPÍTULO 10: Livre para Seguir em Frente 141

CAPÍTULO 11:	Não Ouse Fazer Comparações	155
CAPÍTULO 12:	O Que Você Está Dizendo?	169
CAPÍTULO 13:	Moldando a Vida do Seu Filho	181
CAPÍTULO 14:	Mantendo a Simplicidade	197
CAPÍTULO 15:	Aproveite a Jornada	213
	Conclusão	221
	Sobre a Autora	223

INTRODUÇÃO

Há vários anos, meu amigo John Maxwell foi o preletor de uma de nossas conferências anuais para mulheres. Ele começou sua fala com uma observação que gerou uma grande reação entre as mulheres presentes: "A confiança é como aquela sensação de animação que você tem antes de realmente se dar conta do caos em que se meteu!"

John estava brincando, é claro, mas ainda assim, creio que todas as mulheres presentes naquela conferência conseguiram se identificar com essa afirmação. Como mães, já passamos por isso. A maioria de nós se lembra muito bem do sentimento ingênuo de clareza que tivemos diante da possibilidade da maternidade. Podemos nos lembrar facilmente dos lindos sonhos que um dia tivemos com aqueles futuros pequenos pacotinhos de alegria que ainda não haviam nascido.

Também nos lembramos de quando a realidade da situação se instalou.

Os pequenos pacotinhos de alegria cresceram e se tornaram crianças com dentes que choravam e vomitavam em nós todas as vezes que nos vestíamos para sair. Eles se jogavam no chão fazendo manha e tentavam beber na vasilha do cachorro. Em pouco tempo, em vez de nos sentirmos seguras de nós mesmas, começamos a nos perguntar se realmente éramos capazes de ser boas mães. Começamos a olhar para as nossas imperfeições, a focar em nossos erros e a nos sentir inadequadas para a tarefa.

Estou certa de que você sabe do que estou falando. Toda mãe (por mais incrivelmente competente que possa parecer) em algum momento deixou de se sentir confiante. Mas, graças a Deus, há uma maneira de nos sentirmos confiantes novamente. Na verdade, é possível nós, como mães, em qualquer estágio de nossas vidas, recuperarmos não o tipo de confiança falsa e passageira sobre a qual John Maxwell brincou, mas a verdadeira: o tipo de confiança que nos permite esperar pelo futuro de maneira confiante mesmo quando as coisas estão dando errado — o tipo de confiança que nos mantém de cabeça erguida em vez de olhando para baixo, apesar dos nossos erros. O tipo de confiança que nos permite rir das nossas imperfeições e ser positivas acerca de nós mesmas e do que *podemos fazer* em vez de nos preocuparmos com o que *não podemos fazer*.

Estou convencida de que agora mesmo há mães cristãs em toda parte clamando por esse tipo de confiança. Deus não nos criou para criarmos nossos filhos debaixo de uma nuvem de insegurança. A insegurança suga nossa fé. Ela rouba nossa alegria. Ela nos engana, roubando de nós a ousadia que precisamos para sermos excelentes no que Deus nos chamou para fazer.

Até os atletas profissionais sabem que isso é verdade. Recentemente, um grande ex-jogador de basquete explicou por que alguns competidores são apenas medianos enquanto outros se destacam. De acordo com ele, "a diferença entre um bom jogador e um grande jogador é a confiança suprema. Não podemos perder a confiança!". Embora ele estivesse falando sobre esportes ao fazer essa afirmação, o mesmo pode ser dito sobre ser mãe — com uma correção importante: a diferença entre uma boa mãe e uma grande mãe é a sua suprema confiança *no seu Deus supremo*.

O apóstolo Paulo usou as seguintes palavras para dizer isso: "*Porque nós... que adoramos a Deus no Espírito, e nos gloriamos em Cristo Jesus, e não confiamos na carne*" (Filipenses 3:3, ARA).

Amo esse versículo, e você? Gosto da ideia de tirar a atenção das minhas próprias imperfeições e incapacidades naturais e colocar toda minha confiança em Jesus! Gosto muito mais da minha vida quando vivo assim. Também realizo coisas muito maiores. Descobri que é impressionante o que podemos fazer quando paramos de lutar para atender às exigências aparentemente impossíveis da vida usando nossa própria força e simplesmente descansamos no poder e nas promessas de Deus — porque, com Deus, nada é impossível.

É por isso que estar no ministério não é difícil para mim. Costumava ser, porque eu tornava essa tarefa difícil. Eu complicava as coisas me esforçando para ser perfeita e me condenando por cada erro. Eu me preocupava em agradar outras pessoas e me esgotava tentando impressioná-las. Mas já avancei muito no sentido de abrir mão de tudo isso. Atualmente, dependo exclusivamente de Deus e me levanto todos os dias determinada a aproveitar a vida com Jesus intensamente. Como resultado dessa decisão, o ministério se tornou fácil para mim. É o que faço, e faço com Jesus me ajudando o tempo todo.

Embora o ministério e a maternidade sejam coisas diferentes, eles têm algo em comum: ambos são chamados divinos. E quando Deus chama você para fazer alguma coisa, Ele lhe dá a graça, a fé e a unção (o poder do Espírito Santo) para fazê-lo. E mais, Ele fica ao seu lado a cada passo do caminho. E é disto que este livro se trata: ajudar você a ter uma maior revelação sobre essa realidade.

Nas páginas a seguir, você não encontrará instruções sobre como fazer tudo certo. Não estou aqui para dar isso a você. Estou aqui para encorajá-la e inspirá-la a ser a mãe confiante que você foi criada para ser. Com a graça de Deus, quero ajudá-la a abandonar a culpa, a condenação e o medo que a está detendo para que você possa desfrutar plenamente as alegrias exclusivas do seu chamado.

Vou adverti-la antecipadamente, porém, de que o diabo virá contra você por causa dessa revelação. Ele odeia a ideia de uma mãe confiante. Ele a odiou desde que Deus informou a ele no Jardim que a semente de uma mulher feriria sua cabeça (ver Gênesis 3:15). Foi por isso que ele trabalhou por milhares de anos para manter as mulheres sob o jugo da opressão. Ele não apenas se ressente contra o que representamos, como também entende a poderosa influência que nós, mães, exercemos sobre as futuras gerações. Ele sabe que há verdade no velho ditado: "A mão que embala o berço é a mão que rege o mundo". Por isso, ele está determinado a fazer tudo ao seu alcance para manter nossas mãos pelo menos um pouco trêmulas.

Mas não precisamos deixar que ele saia vitorioso. A Palavra de Deus prova isso — do princípio ao fim. Ela nos dá um exemplo após o outro de mães que confiaram em Deus, que viveram ousadamente e venceram os estratagemas do diabo. (Falaremos sobre algumas dessas mães neste livro.) E o melhor de tudo é que a Palavra de Deus conta a história da jovem mulher chamada Maria, que deu à luz o Salvador. Pela simples fé na promessa de Deus, ela trouxe o Filho que destronou o diabo de uma vez por todas e ofereceu salvação para toda a humanidade. Mães cristãs têm derrotado o diabo desde então. Elas têm descoberto quem são em Cristo, têm se firmado com fé na Palavra de Deus e ensinado seus filhos a fazerem o mesmo.

Em diferentes aspectos da vida, mães são extremamente diferentes umas das outras. Algumas são donas de casa com inúmeros talentos; elas amam cozinhar, assar e costurar para criar belas peças de decoração para a casa. Outras são mulheres de negócios ativas que podem fechar um acordo financeiro e ajudar com um projeto de ciências ao mesmo tempo. Algumas têm maridos que as apoiam e ajudam; outras fazem tudo sozinhas. Algumas têm muito dinheiro para gastar com seus filhos; outras sustentam seus filhos com dificuldade.

Hoje, exatamente como nos tempos bíblicos, não existe um estereótipo de mãe cristã. Existem mães vitoriosas e confiantes dos mais diversos tipos e com diferentes personalidades. Basta dar uma olhada em como pessoas que alcançaram um sucesso notável descrevem suas mães, para vermos o quanto as mães podem ser impressionantemente diversas:

- Abraham Lincoln disse que sua mãe era um "anjo".
- Andrew Jackson descreveu a sua como "corajosa como uma leoa".
- A poetisa Maya Angelou comparou a dela a "um furacão em toda a sua força".
- Steve Wonder chamou sua mãe de uma "doce flor de amor".

Essas afirmações deixam algo claro: você não precisa ter um tipo específico de personalidade para ser uma excelente mãe. Você não precisa se encaixar em nenhum molde exato para criar filhos que literalmente mudarão o mundo. Essa é uma boa notícia para todas nós, porque cada uma de nós é única. Mas eis uma notícia ainda melhor: você também não precisa ser perfeita. Tudo que tem a fazer é continuar crescendo em seu relacionamento com Deus e desenvolver uma confiança suprema nele.

E pela graça do próprio Deus, isso é algo que todas nós podemos fazer!

CAPÍTULO 1

Você Está se Divertindo?

A simples ideia de que as palavras *Mãe Confiante* e *Joyce Meyer* pudessem aparecer juntas e impressas, em qualquer lugar a qualquer momento, prova duas coisas sobre Deus. Primeira: Ele é, sem dúvida, um absoluto operador de milagres. Segunda: Ele tem um grande senso de humor!

Quando iniciei a jornada chamada *maternidade*, eu não tinha um único vestígio de confiança. Na verdade, fiquei petrificada com a notícia. Sentia-me despreparada, insegura e inadequada — e eu tinha bons motivos para me sentir assim!

Quando dei à luz meu primeiro filho, não sabia o suficiente nem para entender o que estava acontecendo quando entrei em trabalho de parto. Meu marido havia me deixado para viver com outra mulher ainda no início da gravidez e, sem o dinheiro para pagar um médico particular, eu estava fazendo o pré-natal em um hospital público. Eu nunca fui atendida pelo mesmo médico duas vezes (na verdade, todos eles eram residentes) por isso não tinha nem mesmo as informações básicas das quais as jovens mães precisam.

O resultado foi que durante os seis primeiros meses depois que David nasceu, eu literalmente tinha medo de machucá-lo. Precisei de toda a minha coragem apenas para dar um banho nele. Eu não fazia ideia de qual deveria ser a temperatura do banho ou de com quanta força eu podia esfregá-lo sem machucar.

Se já ouviu a minha história, você sabe que eu também tinha uma série de outros problemas naquela época. Eu ainda sofria os efeitos dos anos de abuso sexual que sofrera durante a infância. Eu era infeliz e absolutamente não tinha paz. Sentia-me desanimada e sem esperança. Sem conseguir pegar no sono, eu tomava pílulas para dormir sem receita médica. Sem conseguir comer, eu havia ganhado apenas 220 gramas durante toda a gravidez. O esforço imposto ao meu corpo (associado à pressão emocional sob a qual eu estava) me deixou muito doente.

E somado a tudo isso, eu não tinha dinheiro. Continuei trabalhando durante grande parte da gravidez, mas quando finalmente tive de abandonar meu emprego, não pude continuar pagando o aluguel do pequeno apartamento que ficava no terceiro andar em cima de uma garagem, sem ar condicionado e sem ventilador, que mais parecia um forno no calor de mais de 38 graus do verão. Devido ao comportamento abusivo do meu pai, não queria voltar para a casa da minha família. Então, quando minha cabeleireira teve compaixão de mim e me convidou para morar com ela, aceitei.

E para piorar a situação, quando meu marido infiel apareceu no hospital depois do parto para reivindicar o bebê e me pedir para aceitá-lo de volta, eu disse sim a isso também. Não importava que ele estivesse tendo problemas com a justiça. Não importava o fato de que ele não tinha um lugar nem para ele mesmo morar. Concordei mesmo assim em me mudar com ele para a casa de sua irmã, até eu poder voltar a trabalhar.

Às vezes tinha a sensação de que nada estava a meu favor, mas isso não era verdade. Eu tinha uma coisa muito importante a meu favor: aos nove anos de idade, eu havia convidado Jesus para ser meu Salvador. Ele entrou no meu coração e — embora eu tenha passado por momentos em que me senti rejeitada e abandonada pelas pessoas — Ele nunca me deixou.

O que Ele fez na minha vida e nas vidas dos meus filhos nos muitos anos que se passaram desde os meus primeiros dias aterrorizantes de maternidade não foi nada menos que um milagre. É claro que os que estão familiarizados com minha história sabem que o Senhor trouxe Dave para a minha vida, e que ele é um marido maravilhoso e amoroso. E hoje, todos os nossos quatro filhos são adultos e ajudam em nosso ministério de alguma forma. Todos eles são talentosos e incríveis. Eles amam o Senhor. Eles são uma bênção não apenas para mim, mas para muitas outras pessoas também. Cada um deles é muito mais sábio do que eu era na idade deles. Todos têm filhos, e estão provando que são ótimos pais.

Atualmente posso dizer que estou de fato perplexa em ver como meus filhos (e netos!) estão se saindo bem. Assim, pela graça de Deus, eu tenho um verdadeiro testemunho para contar. Mas mesmo assim, quando penso que o Senhor me levou a compartilhar este livro com você, isso me faz rir. Afinal, a estrada para a maternidade confiante foi bem longa para mim. Eu fui tudo menos uma mãe "tradicional" e cometi muitos erros ao longo do caminho. Portanto, posso lhe dizer com confiança que se Deus pôde me ajudar a ser uma boa mãe, Ele pode fazer o mesmo por você. Estou convencida de que Ele pode transformar essa jornada surpreendente e intimidadora da maternidade na sua maior vitória. E o que é ainda melhor, Ele pode ensiná-la a se alegrar a cada passo do caminho.

Sem Manual de Instrução

Eu particularmente dou muita ênfase à alegria. Passei tantos anos sendo infeliz, que atualmente estou determinada a aproveitar a vida. E não tento me justificar em relação a isso, porque creio que a alegria é algo tão importante para Deus quanto é para mim.

Por que outro motivo Deus incluiria tantos versículos como estes na Bíblia?

... Eu vim para que eles possam ter vida e desfrutá-la, e a tenham em abundância (ao máximo, até transbordar).

João 10:10

O reino de Deus... é... justiça, e paz, e alegria no Espírito Santo.

Romanos 14:17

E estas coisas lhes escrevemos para que a sua alegria possa ser completa.

1 João 1:4

Está claro que Deus quer que nós, como crentes, desfrutemos a vida que Jesus morreu para nos dar. E creio que Ele quer que toda mãe cristã se encaixe na descrição do Salmo 113:9 e seja "*... alegre mãe de filhos*".

No entanto, se formos completamente honestas, precisaremos admitir que muitas vezes não sentimos essa alegria. Embora amemos nossos filhos e concordemos em teoria que ser mãe é um dos maiores prazeres da vida, a alegria da maternidade fica enterrada debaixo de um grande peso de trabalho, preocupação e frustração. Se alguém pergunta: "Você está se divertindo?" com muita frequência a resposta é *não*.

Não são apenas as exigências do cotidiano da maternidade que roubam nossa alegria (embora elas às vezes possam parecer intermináveis e exaustivas), mas também o senso de responsabilidade que sentimos por nossas famílias. Estamos cientes do quanto nossos filhos dependem de nós, e muitas vezes temos medo de falhar com eles de algum modo — temos medo de não saber exatamente o que estamos fazendo.

Como mães, podemos não falar muito sobre o assunto, mas as preocupações ainda assim existem. De acordo com uma pesquisa feita há alguns anos, a maioria dos pais considera que seus piores críticos são eles mesmos.[1] Frequentemente devastados pela sensação de haver fracassado, os pais:

- Preocupam-se com a possibilidade de cometerem muitos erros.
- Têm medo de não saber como lidar com os problemas que seus filhos enfrentam.
- Sentem que não são o exemplo que deveriam ser para seus filhos.
- Lamentam algumas das escolhas que fizeram como pais e acham que é tarde demais para voltar atrás e consertar as coisas.
- Duvidam de sua capacidade de se relacionar com os filhos e com os problemas que eles enfrentam no mundo atual.

Eu me identifico com essas frases. Eu mesma me preocupei com essas coisas ao longo dos anos. Meus filhos são tão diferentes uns dos outros e cada fase do desenvolvimento deles trouxe desafios tão inesperados, que muitas vezes tive a sensação de que jamais conseguiria entendê-los. Ah, como eu gostaria que cada um deles tivesse vindo com um

---

[1] Joyce Meyer: *"Shaping the Lives of Your Children"* (Moldando a Vida dos Seus Filhos).

manual completo de instruções, assim como os eletrodomésticos! Deus podia tornar as coisas tão mais fáceis para todas nós, mães, se simplesmente anexasse ao dedão do pé de cada bebê um livreto dizendo: *Para ótimos resultados na infância, faça isto... Aos dois anos de idade, faça isto... Durante os anos da adolescência, faça assim...*

Mas, obviamente, Deus optou por não fazer as coisas assim — para mim, para você, para ninguém.

Por quê?

Creio que é porque Deus tem um plano melhor. Ele quer que naveguemos pelas águas profundas, misteriosas e muitas vezes tempestuosas da maternidade, da mesma maneira que os discípulos navegaram pelas águas tempestuosas do Mar da Galiléia (ver Marcos 4:35-41). Ele quer que paremos de ter medo e coloquemos nossa fé nele e na Sua Palavra, que acreditemos que porque temos o Deus do universo no nosso barco, por mais forte que o vento sopre ou por mais altas que sejam as ondas, podemos chegar vitoriosos ao outro lado!

Talvez você diga: "Mas Joyce, neste instante não sinto que tenho o que é preciso para ter vitória! Meus filhos pequenos estão dando chiliques, meus filhos maiores estão com problemas na escola e meus adolescentes estão se rebelando de uma maneira que jamais esperei. Pelo andar da carruagem, meu navio da maternidade está se enchendo de água e afundando depressa".

Entendo você. Já passei por isso, e descobri que só existe uma maneira de não afundar ao passar por esse tipo de tempestade: tire os olhos dos seus sentimentos e olhe para Jesus. Ouse acreditar que, porque você está firmada nele, o que Romanos 8:37 diz se aplica a você:

> Mas em meio a todas estas coisas somos mais que vencedores e obtemos uma vitória inigualável por meio daquele que nos amou.

O que significa ser *mais que vencedor*? Creio que significa saber antes mesmo das situações acontecerem que você foi equipado divinamente para vencer qualquer tipo de problema. Significa poder enfrentar a vida com ousadia e dizer: "Nada na vida pode me derrotar porque Aquele que é Maior vive em mim. Ele me deu tudo que preciso para realizar o que me chamou para fazer. Posso vencer todas as batalhas porque tenho tudo o que preciso para vencê-las em Cristo Jesus. Porque estou nele, eu posso vencer!"

Você Tem o Que é Preciso

É impossível desfrutar qualquer coisa quando se tem medo de fracassar.

É impossível desfrutar qualquer coisa quando se tem medo de fracassar. Mas quando você sabe de todo o coração que realmente tem o que é preciso, ser mãe pode ser muito mais divertido. Você pode desempenhar seu papel com uma alegre confiança e com seu estilo único e próprio. Você também pode experimentar a liberdade e a alegria de ajudar cada um dos seus filhos a ser a pessoa única que eles devem ser.

Imagine por um instante, pense em como seria divertido encarar cada dia — não de cabeça baixa e prostrada, focando naquilo que você deixou a desejar — mas deixando Deus ser a sua glória e Aquele que levanta a sua cabeça (ver Salmo 3:3). Imagine confiar naquilo que Ele colocou dentro de você a ponto de abraçar seu papel como mãe com alegria e entusiasmo avassaladores. Bem, tudo começa com você acreditando que Deus já a equipou com tudo que você precisa para ser uma mãe confiante e bem-sucedida.

"Sei que está certa, Joyce", talvez você diga, "mas sinto que não tenho o dom ou talento para cumprir meu papel como mãe. Na verdade, às vezes sinto como se não tivesse muito a oferecer". Se você pensa assim, quero inspirá-la compartilhando com você a história de uma mãe do Antigo Testamento que se sentia de maneira muito semelhante a que você se sente — mas isso foi antes dessa mãe experimentar um dos maiores milagres de todos os tempos.

A Bíblia a menciona pela primeira vez em 1 Reis 17:9. Deus a chama como a pessoa que Ele havia escolhido para prover alimento ao profeta Elias durante um período de fome causado por uma seca. *"Vá imediatamente para a cidade de Sarepta de Sidom e fique por lá. Ordenei a uma viúva daquele lugar que lhe forneça comida."*

Do ponto de vista humano, o plano de Deus parecia pouco razoável. Aquela viúva não podia sequer alimentar o próprio filho — como ela poderia alimentar o profeta? Quando Elias aparece em sua porta, ela não tem nada e está profundamente deprimida. Você pode então imaginar como ela reagiu quando Elias lhe pediu um pouco de pão.

Mas ela respondeu: "Juro pelo nome do Senhor, o teu Deus, que não tenho nenhum pedaço de pão; só um punhado de farinha num jarro e um pouco de azeite numa botija. Estou colhendo uns dois gravetos para levar para casa e preparar uma refeição para mim e para o meu filho, para que a comamos e depois morramos".

v. 12, NVI

Essa sim era uma mãe que sentia não ter nada a oferecer! Essa mulher supera a todas nós! Mas Deus viu nela algo que ela não podia ver em si mesma. Ele a viu como uma fonte de bênção que, nas mãos dele, nunca secaria. Essa foi a razão pela qual o Senhor instruiu Elias a dizer-lhe isto:

Elias, porém, lhe disse: Não tenha medo. Vá para casa e faça o que disse. Mas primeiro faça um pequeno bolo com o que você tem e traga para mim, e depois faça algo para você e para o seu filho.

Pois assim diz o Senhor, o Deus de Israel: "A farinha na vasilha não se acabará e o azeite na botija não se secará até o dia em que o Senhor fizer chover sobre a terra".

Ela foi e fez conforme Elias lhe dissera. E aconteceu que a comida durou muito tempo, para Elias e para a mulher e sua família.

Pois a farinha na vasilha não se acabou e o azeite na botija não se secou, conforme a palavra do Senhor *proferida por Elias.*

vv. 13-16, NVI

Essa não apenas é uma linda história da Bíblia — é a história de toda mãe cristã. Todas nós percebemos, em algum momento da vida, que não temos o suficiente em nós mesmas para suprir todas as necessidades dos nossos filhos. Em um mundo cheio de perigos, não podemos garantir a proteção deles. Em um mundo cheio de trevas espirituais, nem sempre podemos mantê-los cercados de luz. Em um mundo cheio de perguntas, não temos todas as respostas.

Na nossa própria força, todos nós somos como a viúva de 1 Reis 17 — nossa despensa está lamentavelmente vazia.

Mas, ainda assim, não temos de nos preocupar! Deus prometeu fazer por nós a mesma coisa que fez há tantos anos em Sarepta. Se dermos um passo de fé e dermos a Ele o que temos, Ele transformará nossas vidas em um milagre progressivo. Ele derramará através de nós um suprimento inesgotável do Seu amor, do Seu poder e da Sua graça. Ele dará o suficiente, não apenas para nós e nossos filhos, mas também para outros.

Portanto, siga em frente e alegre-se! Em vez de olhar para suas próprias fraquezas e imperfeições pessoais, celebre a força daquele que está em você. Todas as vezes que o diabo ameaçar minar sua confiança ou afundar o navio da sua família, lembre a ele que...

- O próprio Deus disse... [*Eu nunca de modo algum os deixarei desprotegidos nem os abandonarei (não relaxarei a Minha mão que os segura!) [Absolutamente não!]* (Hebreus 13:5).
- Em Cristo, Deus... *sempre nos conduz em triunfo [como troféus da vitória de Cristo]...* (2 Coríntios 2:14).
- *... O Deus e Pai de nosso Senhor Jesus Cristo... nos abençoou em Cristo com todas as bênçãos espirituais (dadas pelo Espírito Santo) nas esferas celestiais!* (Efésios 1:3).

Quando você colocar sua fé em Deus e meditar em versículos como esses, será capaz de aceitar os desafios singulares da maternidade com ousadia e alegria renovadas. Você viverá como se tivesse nascido para fazer isso e amará cada minuto da jornada.

Sem hesitação, você poderá dizer: "Ah, sim, sem dúvida, agora estou me divertindo!"

CAPÍTULO 2

Não é Preciso ser a Mãe Perfeita

Eu gostaria de ser a mãe perfeita... mas estou ocupada demais criando meus filhos.

— Autora desconhecida

Na verdade, ela não existe. Mas em algum lugar nas sombras da mente de toda mãe, ela está bem viva e causando grandes problemas.

Sua casa está sempre um brinco. (Não existem gavetas nas quais a bagunça se acumula na casa dessa mulher. Tudo é organizado e armazenado em recipientes bonitos e com rótulos claros). Sua horta de verduras é uma maravilha da agricultura (orgânica, naturalmente). Ela costura como um alfaiate, negocia como um alto executivo, faz refeições para os pobres e malha diariamente na academia local. E ela faz tudo isso com paciência, doçura e sorrisos infalíveis.

Alguns poderiam considerá-la a mulher citada em Provérbios 31. Mas a verdade é que ela não é. A mulher de Provérbios 31 foi colocada na Bíblia para nos inspirar. Ela nos dá objetivos que devemos procurar alcançar pela fé e pela dependência em Deus. Mas essa mulher com quem nos esforçamos para parecer nada mais é do que uma projeção em nossa mente de nossas próprias inseguranças, que nos faz sentir inferiores e condenadas. Ela é a imagem inalcançável da mãe perfeita que faz com que o restante de nós se sinta um verdadeiro fracasso, por mais que tentemos.

Ela é o motivo pelo qual, em uma pesquisa feita entre mais de quinhentas mães, o perfeccionismo foi identificado como o problema número um que as impede de desfrutarem os pequenos momentos cotidianos de suas vidas.

E este capítulo inteiro resume-se a nos livrarmos dela, porque essa mulher fictícia e sem defeitos tem prejudicado as mães por tempo demais. Ela nos causou problemas demais e custou muito da nossa alegria. Portanto, não há dúvidas quanto a isto: precisamos dispensá-la e substituí-la por alguém mais bíblico.

A única pergunta é: a quem devemos escolher?

Como já mencionei, a mulher de Provérbios 31 é uma escolha óbvia. Mas existem outras na Bíblia que também poderíamos escolher. Mulheres como aquelas que aparecem no primeiro capítulo do evangelho de Mateus, na passagem comumente mencionada como *as progenitoras* (ver Mateus 1:1-16).

Falando de uma maneira geral, as progenitoras não são famosas por servirem de inspiração. Mas no que se refere a servirem para nós como excelentes modelos de mãe a serem seguidos, elas são uma mina de ouro divinamente inspirada.

Elas revelam exatamente que espécie de mães nosso Deus onisciente e totalmente sábio escolheu para colocar na árvore genealógica de Jesus.

As progenitoras são para nós um retrato do tipo de mãe que Deus usa para realmente fazer maravilhas — e é um retrato que não se parece em nada com o "ideal".

Veja Sara, por exemplo. Como mulher de Abraão, ela é mencionada na genealogia de Jesus em Mateus 1:2 (não por nome, mas por inferência a partir do nome de Abraão) — e estava longe de ser perfeita. Na verdade, ela cometeu um bom número de erros chocantes. Se já leu a história dela, você provavelmente se lembra de alguns deles.

- Ela ficou impaciente com o plano de Deus e arquitetou seu próprio esquema para produzir o filho que Ele havia prometido — ela arranjou para que seu marido tivesse um caso com a empregada.
- Ela ficou com ciúmes do filho da empregada e exigiu que ambos fossem mandados embora para o deserto, apesar dos protestos de seu marido.
- Quando Deus apareceu novamente — em Pessoa! — para reconfirmar Sua promessa, ela literalmente riu motivada pela incredulidade.

Sara não parece ser exatamente uma candidata à Mãe Cristã do Ano, não é? Mas Deus a escolheu mesmo assim, e disse: "Esta é uma mulher em quem posso trabalhar!" Sem dúvida, Ele estava certo. No fim, Sara creu no Senhor, concebeu Isaque e terminou na *Lista de Heróis da Fé* de Hebreus 11.

Também houve Raabe. Mencionada em Mateus 1:5 como outra mulher da linhagem de Cristo, ela aparece na Bíblia pela primeira vez como uma prostituta que morava na cidade maligna de Jericó. Raabe não possuía uma linhagem judia nem realizações passadas que a recomendassem. Mas Deus a escolheu mesmo assim. "Esta é uma mulher em quem posso trabalhar!" disse Ele, e eventualmente ela também encontrou um lugar na *Lista de Heróis da Fé*.

Não vamos nos esquecer de Bate-Seba. Ela exerceu um papel central em um dos maiores escândalos da Bíblia. Tornou-se a esposa do rei Davi por meio do adultério e ficou grávida de um filho ilegítimo. Mas em vez de rejeitar Bate-Seba como alguém imperfeita demais para ser usada por Ele, Deus olhou para ela e disse: "Esta é uma mulher em quem posso trabalhar!" Bate-Seba amadureceu e tornou-se uma mulher virtuosa cheia de fé que, de acordo com alguns eruditos, serviu como modelo para a mulher sobre quem Salomão escreveu em Provérbios 31.

Deus Não é Pego de Surpresa

Creio que mães como Sara, Raabe e Bate-Seba podem ser grandes inspirações. Posso me identificar com o fato de que elas tinham falhas e imperfeições. Como todo mundo, tive de lidar com algumas imperfeições e cometi muitos erros.

Eu não apenas era dolorosamente imperfeita nos meus primeiros anos como mãe, quando Deus me chamou para começar a ensinar Sua Palavra, como era uma figura totalmente constrangedora. Apareci para dar minhas primeiras aulas de estudo bíblico usando *shorts* curtos e fumando cigarros.

Eu não sabia de nada!

Mas isso não fez Deus parar. Ele me ungiu assim mesmo e aqueles estudos bíblicos tiveram êxito. (As mentes religiosas talvez tenham problemas em compreender isso, mas é verdade.) As pessoas continuavam aparecendo. Os números continuavam aumentando. Deus me deu graça para ser uma bênção, não porque eu fumava e me vestia de forma inadequada, mas porque Ele sabia que eu o amava e queria agradá-lo. Deus me concedeu grande misericórdia porque sabia que eu deixaria que Ele trabalhasse em mim e me transformasse à medida que o tempo passasse.

Ele ainda está fazendo o mesmo por mim hoje e, como mãe, você pode ter certeza de que Ele fará o mesmo por você também. Ele a ungirá e a capacitará para ser uma bênção para sua família, apesar das suas gavetas entulhadas de roupas emboladas, dos seus fracassos com jardinagem e dos seus surtos ocasionais de impaciência. Desde que você confie nele para fazer isso, Deus a ajudará a ter êxito como mãe e cumprirá os planos dele por intermédio de você, não porque você é perfeita, mas porque Ele é perfeito.

Ele só nos pede para fazermos algumas coisas simples:

1. Receber Jesus como nosso Senhor e Salvador.
2. Conhecer a Ele e a Sua Palavra, e desenvolver um relacionamento profundo, íntimo e pessoal com Ele.

3. Depender dele e confiar nele para ser a nossa sabedoria e força em toda situação que encontrarmos.

4. Seguir a direção do Espírito Santo enquanto Ele nos guia a toda verdade e nos transforma à imagem de Cristo.

A boa notícia é que até as coisas que Deus nos pede para fazer, Ele também nos capacita a fazer nos oferecendo continuamente a Sua graça. À medida que dependermos dele, progrediremos, mas não ficaremos orgulhosas nem ficaremos com o crédito pelo sucesso. Viveremos vidas gratas cheias de louvor a Deus e à Sua bondade e misericórdia. Nossa jornada com Deus é progressiva e, felizmente para nós, Ele trabalhará em nós pelo resto de nossas vidas.

Então não precisamos nos sentir pressionadas porque precisamos ser perfeitas. Podemos nos sentir confortáveis com o fato de cometermos erros, admiti-los e seguir em frente. Podemos ter a convicção de que Deus nos ama sempre incondicionalmente e que nunca há qualquer condenação para aqueles que estão em Cristo (ver Romanos 8:1). Podemos viver cada dia em total confiança e dizer: "Estou bem e seguindo em frente!"

Por que achamos difícil dizer coisas do tipo: "Cometi um erro", ou "Este não é o meu ponto forte", ou "Cheguei ao meu limite"? Por que parecemos ficar perpetuamente surpresas e consternadas com as nossas próprias fraquezas naturais?

Deus com certeza não fica surpreso com elas.

Simplesmente veja o que Ele disse em Jeremias 1:5: *"Antes que Eu te formasse no ventre eu te conheci [e] te aprovei [como Meu instrumento escolhido], e antes que você nascesse eu te separei e escolhi..."*. Deus sabia que você não seria perfeita — só Jesus é perfeito — mas ainda assim Ele a escolheu para ser dele e a chamou para fazer um dos trabalhos mais importantes do planeta — ser mãe. Ele considerou suas fraquezas antes de escolhê-la e providenciou de antemão uma solução para elas enviando Jesus para ser seu Sumo Sacerdote misericordioso e fiel (ver Hebreus 2:17).

Porque não temos um Sumo Sacerdote que seja incapaz de entender, simpatizar e ter um sentimento comum com as nossas fraquezas e enfermidades e com a nossa tendência aos ataques da tentação, mas Um que foi tentado em todos os aspectos que nós somos, no entanto, sem pecar. Então, aproximemo-nos destemidamente, confiadamente e ousadamente ao trono da graça... para que possamos receber misericórdia [pelos nossos erros] e encontrar graça para socorro a bom tempo para toda necessidade [ajuda adequada e ajuda oportuna, que vem exatamente quando precisamos dela].

Hebreus 4:15-16

Pense nisso! Você tem realmente um Sumo Sacerdote que entende você. Ele não exige que você seja perfeita todos os dias para se relacionar com Ele. E se Ele não exige a perfeição de você, então você não precisa exigi-la de si mesma também. O desejo dele é que você entregue a Ele as áreas da sua vida que precisam de aperfeiçoamento, mas Ele está lá para ajudá-la no processo — você não tem de fazer tudo sozinha; mas você precisa cooperar com Deus para fazer a obra em sua vida. Você pode relaxar e desfrutar a sua vida, sabendo que Ele se agrada de você e que está fazendo uma boa obra em sua vida.

Separando o *Ser* do *Fazer*

Talvez você diga: "Mas Joyce, posso realmente acreditar que Deus tem prazer em mim mesmo eu ainda pecando às vezes?"

Sim, mas para fazer isso, precisa aprender a separar quem você é do que você *faz*. É preciso entender que você, como filha de Deus, é uma nova e maravilhosa criatura. Seu espírito nasceu de novo à imagem dele. Você tem a própria natureza de Deus dentro de si. Quando Deus olha para quem você é, Ele vê a semelhança de Jesus e diz a seu respeito o mesmo que diz dele: "*Este é o Meu Filho, o Meu Amado, em quem tenho [e sempre tive] prazer...*" (Mateus 17:5).

Não passe batido por essa informação. Pare por um instante e a absorva a ideia no seu íntimo: Deus tem prazer em Jesus e Ele tem o mesmo prazer em você. Ele se agrada porque você o ama e porque deseja crescer e aprender. Portanto, ouse acreditar. Talvez você até queira parar e dizer algumas vezes todos os dias: "Embora eu não seja perfeita, Deus me ama. Ele tem prazer em mim!"

Isso não significa, porém, que Deus aprovará todas as suas atitudes. Quando você fizer algo errado, Ele a corrigirá. Ele esperará que você se arrependa, que aceite Seu perdão, e que receba dele a graça que precisa para mudar seu comportamento. Mas enquanto o corrige em tudo isso, Seu amor por você e Seu prazer em quem você é permanecem constantes.

Como mãe, posso entender como isso é possível. Nenhum dos meus quatro filhos faz tudo da maneira que eu gostaria que eles fizessem, mas tenho prazer neles mesmo assim. Amo passar tempo com eles e falar com eles. Amo vê-los se desenvolverem e amadurecerem. Eu me deleito em quem eles são. E mais, não tolerarei que ninguém venha me dizer o que há de errado com eles. Eles são meus filhos e corrigi-los é um trabalho que cabe apenas a mim!

Deus sente o mesmo a nosso respeito. Quando o diabo começa a nos criticar e a nos condenar, Ele não quer que toleremos isso. Ele quer que digamos: "Sou uma filha de Deus. Não tenho de ouvir a acusação do inimigo".

Sinceramente, não deveríamos criticar a nós mesmas. Não podemos viver com confiança se estivermos sempre pensando: *Eu não deveria ter feito isso. Não deveria ter dito aquilo. Deveria ter orado mais hoje. Deveria ter passado mais tempo confessando a Palavra. Eu não deveria ter sido tão impaciente. Deveria ter abraçado meus filhos mais vezes hoje. Sinto-me* tão culpada. Sou uma péssima mãe.

Se esse tipo de pensamento está dominando sua mente, leve-o cativo! (Ver 2 Coríntios 10:5). Pare de deixar o diabo criticar cada pequena coisa que você faz e adote a atitude que o apóstolo Paulo tinha. Quando as pessoas do seu tempo começavam a criticá-lo, ele dizia:

> ... Pouco me importa ser julgado por vocês [sobre este assunto], e que vocês ou qualquer outro tribunal humano me investiguem ou questionem detalhadamente. Nem eu mesmo me julgo. Não tenho consciência de nada contra mim mesmo, e me sinto inculpável; mas não me dou por justificado ou absolvido perante Deus por causa disso. É o [próprio] Senhor quem me examina e me julga.
>
> 1 Coríntios 4:3-4

Ora, isso é o que eu chamo de liberdade! E é isso que Deus quer para todas nós. Ele quer que abandonemos o hábito de julgar e criticar a nós mesmas. Ele quer que digamos "Estou determinada a fazer meu melhor a cada dia, mas ainda que eu não consiga, não vou ficar me preocupando excessivamente por causa disso. Vou confiar que se eu estiver fazendo algo que realmente está desagradando a Deus, Ele falará comigo e me mostrará como mudar".

Deus pode trabalhar em nós quando pensamos assim. Desde que o amemos, que continuemos andando com Ele e que coloquemos nossa fé na Sua perfeição em vez de colocá-la na nossa, não importa quantos erros cometamos ou quanto possamos falhar, Ele sempre nos levará de volta ao caminho certo!

Aprendendo Como as Pessoas Reais Lidam com o Mundo Real

Muitas vezes nos preocupamos com nossos erros e imperfeições porque sabemos que nossos filhos estão observando tudo o que fazemos. Temos plena consciência da importância de dar um bom exemplo para nossos filhos seguirem. Embora seja verdade que você é um modelo para seus filhos, você não precisa ser perfeita para ser um bom modelo.

Na verdade, se reconhecer voluntariamente seus erros e for rápida em se arrepender, se continuar confiando em Deus e se recusar a se sentir condenada, suas imperfeições podem ajudar seus filhos grandemente. Elas podem ajudá-los a aprender como as pessoas reais lidam com o mundo real. Elas podem dar aos seus filhos a oportunidade de ver que, embora sejamos todos imperfeitos, ainda podemos receber o perdão de Deus e as coisas podem acabar bem.

Essa é uma das lições mais valiosas que os filhos podem aprender. Eles precisam saber que nós, como cristãs espiritualmente saudáveis, não temos de esconder nossos erros. Podemos falar sobre eles abertamente e compartilhar com outras pessoas o que aprendemos sobre como lidar com eles. Podemos ser sinceras sobre nossa própria humanidade e usar nossos erros para encorajar os outros e deixá-los à vontade.

Isso não é simplesmente algo que prego, é algo que comecei a praticar na minha própria vida pessoal há muitos anos. Lembro-me de momentos, por exemplo, em que Dave e eu tivemos discussões acaloradas na frente de um dos nossos filhos ou de todos eles. As crianças ficam angustiadas quando seus pais discutem, então houve vezes em que nossa discussão os fez chorar. Dave e eu, é claro, lamentávamos nosso comportamento e também o fato de os deixarmos angustiados, mas em vez de nos sentirmos culpados, usávamos isso como uma oportunidade para ensinar aos nossos filhos uma lição valiosa. Dizíamos a eles que as pessoas cometem erros e que estávamos errados em nos irar. Falávamos a eles sobre o perdão de Deus e sobre o nosso perdão um ao outro, e depois explicávamos a eles que no mundo real, as pessoas às vezes têm desentendimentos e que elas podem lidar com eles e ainda continuar se amando muito.

Felizmente, Dave e eu não costumávamos entrar nesse tipo de desentendimento na frente dos nossos filhos com muita frequência. Se o fizéssemos, isso poderia tê-los afetado negativamente. Eles poderiam ter começado a se sentir inseguros ou até se tornado pessoas que perdem a calma facilmente e que vivem discutindo.

Os filhos realmente tendem a espelhar o que veem em seus pais, mas lembre-se sempre disto: É o que eles veem acontecer *repetidamente* que realmente os afeta. Portanto, você não precisa se preocupar toda vez que comete um erro. Você não precisa pensar que vai estragar seus filhos todas as vezes que cometer um erro. Concentre sua energia em dar um bom exemplo para eles e posso lhe garantir que eles não serão prejudicados pelos seus erros ocasionais.

Deixe que eles vejam você orar todos os dias. Deixe que eles ouçam você louvar a Deus pela Sua fidelidade regularmente. Deixe que eles vejam você tropeçar, levantar-se de novo e voltar a andar com fé e amor novamente. Mostre aos seus filhos, através de um exemplo coerente, como ser confiante, não neles mesmos, mas em Deus.

Foi isso que Kristin Armstrong escolheu fazer.

Contudo, não foi fácil para ela. Como explica em seu livro *A Work in Progress: An Unfinished Woman's Guide to Grace* (Uma Obra em Andamento: O Guia Inacabado de uma Mulher Rumo à Graça), ela passou anos se obrigando a ser perfeita... E de acordo com todas as aparências externas, ela conseguiu. Kristin tirava notas ótimas na escola, construiu uma carreira de sucesso, casou-se com um atleta internacional famoso e deu à luz três lindos filhos. Ela construiu uma vida com a qual a maioria das mulheres apenas sonha. Mas quando seu casamento por fim fracassou e terminou em divórcio, o mundo aparentemente perfeito de Kristin desmoronou.

Foi quando ela percebeu que seu antigo senso de confiança não passava de uma simulação. "O que eu tinha era um fino verniz de arrogância cobrindo meu medo", disse ela. "Quando minha vida começou a se despedaçar, eu não sabia como lidar com essa falta de perfeição. Mas para mim, esse momento de quebrantamento se transformou em um momento de libertação divina. Deus estava esperando há trinta anos que eu dissesse: 'Ei, você pode me ajudar aqui?... Não sei mais o que fazer!'"

Com esse grito por socorro, Kristin abriu mão de seu anseio de alcançar a perfeição por meio dos próprios esforços e colocou Deus no leme de sua vida. Ela se tornou o que chama de "um grande projeto de reforma". Ela pegou o martelo da graça de Deus, estilhaçou sua casca de perfeição superficial construída por ela mesma e começou a seguir os passos das mulheres de fé como Sara, Raabe e Bate-Seba.

Em outras palavras, ela se tornou uma mulher em quem Deus podia trabalhar. E foi quando o Senhor começou a transformar a vida de Kristin de fato. Ele abriu portas para ela escrever e compartilhar publicamente com outras mães o que pode acontecer quando paramos de lutar e buscar a perfeição usando nossas próprias forças. "Não se trata mais de mim ou do que posso ou não fazer", diz ela. "Não tenho de me perguntar: *Será que sou boa o bastante?* Sei que a minha confiança está em Cristo e que sou quem Ele me criou para ser, portanto o que quer que eu tenha a oferecer ou a dizer é bom o bastante. Esse é um grande alívio e uma grande libertação! E esse é o presente que quero dar aos meus filhos".

Amém, Kristin. E existe presente melhor?

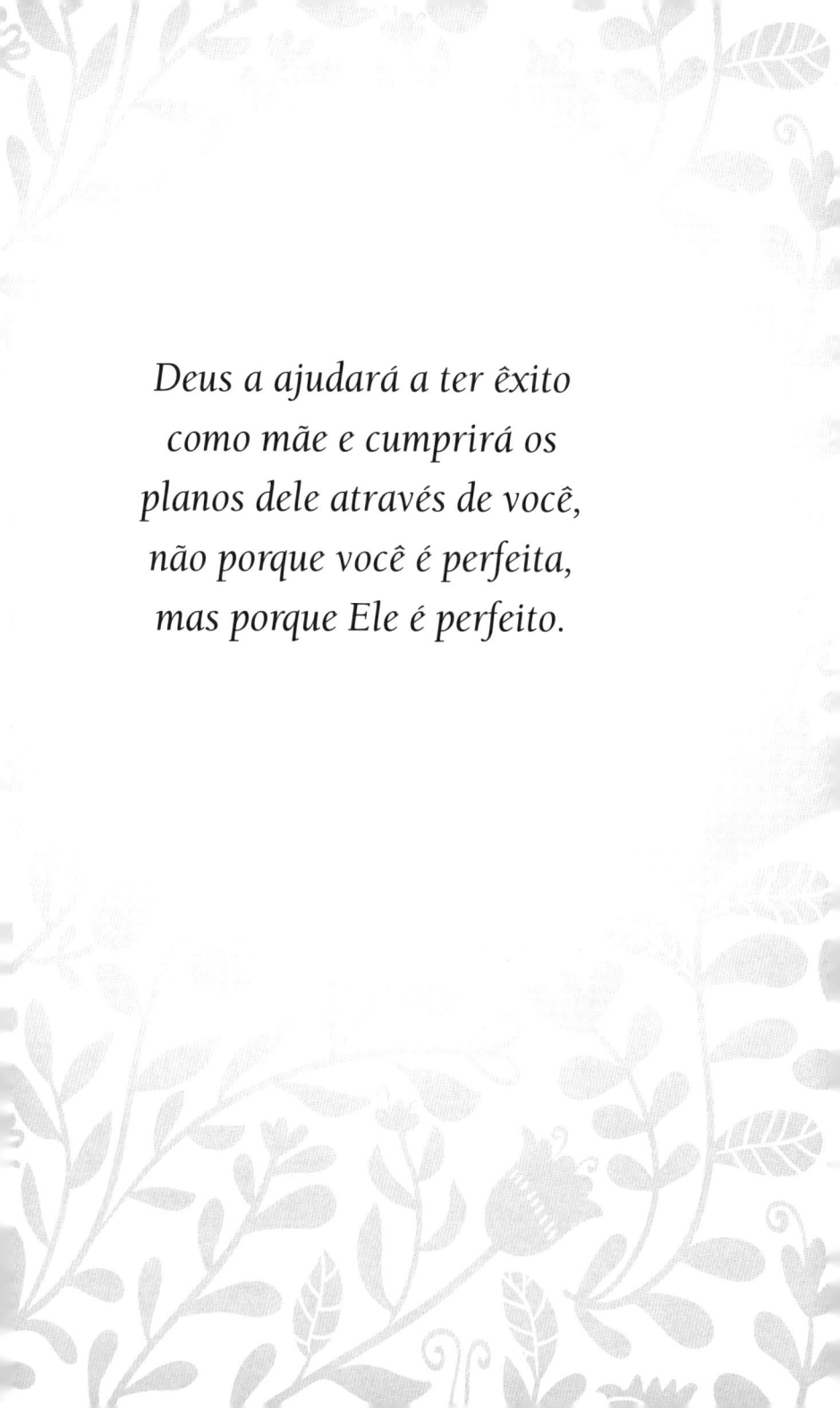

*Deus a ajudará a ter êxito
como mãe e cumprirá os
planos dele através de você,
não porque você é perfeita,
mas porque Ele é perfeito.*

CAPÍTULO 3

Deus Pode Cuidar Disso

Em 20 de maio de 2013, a professora de quarta série Nikki McCutrin reuniu um grupo assustado de alunos ao seu redor e começou a ler. Ela duvidava que eles conseguissem prestar atenção. Por mais que amassem ouvir as histórias sobre Aslan, o Leão do livro de C.S. Lewis *As Crônicas de Nárnia: O Sobrinho do Mago*, a imensa nuvem que se agigantava no horizonte deixou as crianças da escola inquietas.

A maioria dos alunos da turma de Nikki já havia saído. Seus pais os haviam apanhado mais cedo, ansiosos para levá-los para casa antes que a tempestade chegasse. Apenas sete dos seus 27 alunos haviam ficado, com seus rostos sérios voltados para ela enquanto se sentavam de pernas cruzadas no chão, esperando que ela recomeçasse a história. Nikki sorriu para eles e engoliu em seco para disfarçar a emoção em sua voz. "Capítulo 9", ela disse.

O Leão andava de um lado para o outro naquela terra vazia e cantava sua nova canção. Ela era mais suave e mais alegre que a canção com a qual ele havia chamado as estrelas e o sol; uma música suave e ondulante. Enquanto ele andava e cantava, o vale ficou verde ao ser tomado pela grama. Ela se espalhava do Leão como um lago...

Os alunos esperavam cada palavra com expectativa. Indiferentes ao ruído dos trovões do lado de fora, eles estavam sintonizados no Leão que cantava no escuro e gerava vida com sua voz. Nikki sentiu o Espírito Santo pairando na sala. Ela sabia que as crianças eram pequenas demais para entender que o Leão da história representava Deus e que a terra vazia representava a obra do diabo, então ela fez uma pausa e explicou como a vida sempre brota das trevas e, no fim, o bem sempre vence o mal.

Nesse exato momento, o sistema interno de comunicação foi ligado. A voz do diretor ecoou pelas salas de aula e pelos corredores. "Tomem as precauções referentes a tornados *agora!*"

Dentro de minutos, Nikki, juntamente com os outros professores que trabalhavam naquela ala da escola, guiaram os alunos até o banheiro para terem o máximo de proteção. As luzes piscavam sobre suas cabeças. As crianças pelas quais Nikki havia se apaixonado no último ano de escola choramingavam aterrorizadas ao redor dela. Então, seu telefone celular tocou. Era seu marido, Preston. Ele estava assistindo ao tornado pela TV. "Ele está vindo! Ele vai atingir vocês!" disse ele. Antes que ela pudesse responder, o telefone ficou mudo.

O tornado veio rugindo como um trem de carga. O chão vibrava e as paredes tremiam. O choramingo das crianças se transformou em gemidos. "Deus, dá-me um versículo para orar por eles!" — Nikki gritou.

A resposta foi instantânea. Salmos 91:4: "*Ele o cobrirá com as suas penas, e sob as suas asas você encontrará refúgio; a fidelidade dele será o seu escudo protetor*" (NVI).

Enquanto orava esse versículo repetidamente com toda a força de seus pulmões, Nikki abraçou-se a uma garotinha envolvendo-a como um escudo humano. Ela virou as costas para a porta e se firmou contra os dedos do vento que a agarravam, puxando-a em direção ao vértice da tempestade. De repente, enquanto o vento tentava varrê-la para longe, Nikki sentiu uma Mão mais forte pressionando suas costas com um poder suave, firmando-a no lugar.

Ela se virou para ver quem era, mas não havia ninguém ali. Então ela ouviu a voz de Deus em seu coração dizendo-lhe que ela ficaria bem e que por mais terrível que a tempestade fosse, Ele podia cuidar dela.

Blocos de concreto desmoronavam e caíam ao redor dela. O teto se rasgou e o vácuo criado pelo tufão sugou o ar dos pulmões de Nikki. Arfando em busca de ar, ela se levantou e virou rapidamente, vendo o tornado bem diante dela, um monstro escuro e rodopiante de terra e detritos.

E então ele se foi. Não apenas o tornado, mas tudo o mais também desaparecera — *a Escola Elementar Paradise*

Towers e *quilômetros e mais quilômetros da cidade de Moore em Oklahoma*. Nikki engoliu em seco ao ver a devastação e lembrou-se das cenas que o Senhor havia trazido à sua mente dois dias antes. Foi exatamente assim, como uma zona de guerra. Nikki sabia que havia sido um aviso, e ela e seu marido deram ouvidos a ele e oraram.

Agora ela estava ajoelhada entre seus alunos, ainda amontoados entre os escombros. Alguns estavam feridos e sangrando, mas nenhum deles com gravidade. Cuidando dos ferimentos deles, ela acalentou seus soluços. "Vocês estão vivos", disse ela. "Vocês estão vivos. Tudo vai ficar bem".

Você Nunca Está Só

Como mães, a maioria de nós nunca enfrentou o que Nikki McCurtin enfrentou. Nunca tivemos de orar diante de um tornado da categoria F5, e esperamos nunca ter de fazer isso. Mas eu queria contar-lhe a história dela mesmo assim, porque de algum modo podemos nos identificar com ela.

Todas nós sabemos como é ser atingida por uma tempestade. Encarar os ventos de problemas rugindo sobre nossas vidas e virando nosso mundo de ponta-cabeça. Às vezes esses ventos sacodem os casamentos ou ameaçam as finanças. Outras vezes trazem doenças, decepção ou dor emocional. Mas não importa qual o tipo de tempestade tenhamos de enfrentar, como mães todas nós queremos o mesmo que Nikki: proteger os pequeninos a quem amamos da turbulência que os cerca e garantir que fiquem bem.

Não é algo fácil de fazer, mesmo quando estamos enfrentando apenas algumas chuvas esporádicas em nossa vida. Mas quando os tempos realmente difíceis surgem no horizonte, isso parece se tornar impossível. E essa é a mais pura verdade: os tempos difíceis sempre vêm. Jesus nos disse que eles viriam. Ele disse em João 16:33 que enquanto vivermos neste mundo, teremos problemas, provações e sofrimentos. E nos dias de hoje, as mães mais do que ninguém podem perceber que isso é verdade.

As estatísticas confirmam que muitas mães que cresceram assistindo a filmes e seriados familiares, sonhando com uma vida como a das donas de casa dos anos cinquenta, estão sendo pegas de surpresa por uma realidade totalmente diferente. Nos últimos 50 anos, as taxas de divórcio dobraram. O percentual de famílias em que a mulher é a chefe da casa subiu assustadores 47%. Cada vez menos mães têm a opção de permanecer em casa com seus filhos e menos famílias ganham o suficiente para viver de maneira confortável.

Nos dias de hoje e na era em que vivemos, a vida familiar está mais complicada.

- 61% das mães trabalham fora de casa.
- 86% dessas mães afirmam que às vezes ou frequentemente se sentem estressadas.
- 48% de todos os primeiros casamentos nos Estados Unidos acabam em divórcio.
- 19 milhões de crianças estão sendo criadas por mães solteiras.

- 51% dessas crianças estão vivendo abaixo da linha de pobreza.
- 43% dos casamentos são segundos ou terceiros casamentos.
- 68% desses novos casamentos envolvem filhos de casamentos anteriores.
- 2.100 novas famílias mistas estão sendo formadas todos os dias.
- 82% dos pais de novas famílias mistas dizem que não sabem a quem recorrer em busca de ajuda para os problemas que estão enfrentando.[2]

É evidente que os tempos mudaram. Este não é mais o mundo das famílias dos seriados que assistíamos à tarde na tevê.

Talvez você já saiba disso por experiência própria. Talvez essas estatísticas se apliquem a você de uma maneira muito pessoal, e a experiência abençoada da maternidade com a qual você um dia sonhou tenha tomado um rumo não tão abençoado. Nesse caso, tenho uma palavra de encorajamento para você: saiba que você não está só.

Além de existirem três milhões de outras mães no mesmo barco que você, como dissemos no último capítulo, Jesus está no seu barco também, como Ele mesmo disse:

---

[2] Ver "Working Mother Statistics", Statistic Brain, http://www.statisti-cbrain.com/working-mother-statistics/; e "Greg Kaufman, 'This Week in Poverty: US Single Mothers—The Worst Off'", *The Nation*, 21 de dezembro de 2012, http://www.thenation.com/blog/171886/ week-poverty-us-single-mothers-worst.

... Eu não falharei com você de modo algum nem abrirei mão de você nem [a] deixarei sem apoio. De modo algum Eu [a] deixarei desprotegida, nem [a] abandonarei, nem [a] decepcionarei (não relaxarei a Minha mão que [a] segura)! [É certo que não!]

Hebreus 13:5

Talvez você pense: *Mas às vezes me sinto tão só! Oro e peço ajuda a Deus, mas não sinto que Ele está comigo, nem mesmo por perto!*

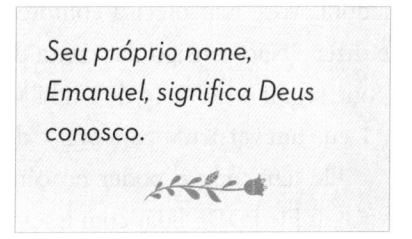

Seu próprio nome, Emanuel, significa Deus conosco.

Se esse é o seu caso, deixe-me encorajá-la a parar de dar ouvidos aos seus sentimentos, porque eles estão lhe dizendo uma mentira. Jesus prometeu estar com você e Ele está. Seu próprio nome, Emanuel, significa *Deus conosco*.

E algumas das últimas palavras que Ele nos disse antes de subir ao céu foram estas:

E eu estarei sempre com vocês, até o fim dos tempos.

Mateus 28:20, NVI

A promessa de que Deus estará "sempre" conosco significa que Ele estará conosco enquanto criamos filhos difíceis. Ele estará conosco se tivermos de lidar com maridos ausentes ou sogros críticos. Ele estará conosco enquanto passamos noites sem dormir consolando bebês com cólicas ou esperando adolescentes desobedientes. Ele estará conosco enquanto enfrentamos montanhas de roupa suja, enquanto batemos o relógio de ponto em empregos desafiadores e nos esforçamos para extrair o melhor das piores situações.

Isso significa que você não precisa entrar em pânico se estiver enfrentando uma tempestade de problemas avassaladora. Você não precisa contorcer as mãos nervosamente e dizer, "Não consigo dar conta disso!" Em vez disso, você pode seguir o exemplo de Nikki McCurtin. Você pode pedir a Deus um versículo para orar e descansar em Jesus.

Ele tem todo o poder no céu e na terra. Ele está com você. E Ele *PODE* lidar com isso!

Encontrando Socorro no Deserto

Às vezes o problema que enfrentamos foi criado por nós mesmas. É nesses momentos difíceis que nos perguntamos se Deus ainda irá nos ajudar, nos fortalecer e estar conosco. Se você está enfrentando uma situação assim hoje, quero encorajá-la a confiar que Deus não desistiu de você. Ele está com você e lhe dará a força para superar qualquer obstáculo — mesmo que esse obstáculo tenha sido criado por você mesma.

Se você tem suas dúvidas, veja a história da jovem mulher chamada Agar no Antigo Testamento. Agar era uma serva da família de Abraão. Ela também foi a mulher nomeada como "mãe substituta" quando Sara decidiu que Abraão deveria fazer um bebê dormindo com alguém mais jovem e mais fértil do que ela.

Como serva, Agar provavelmente não teve muita escolha. Era assim que as coisas eram feitas naquele tempo. Mas quando engravidou do filho de Abraão, ela teve o direito de escolher como iria reagir à situação. E ela escolheu mal. Ela fez uma situação que já era ruim ficar ainda pior agindo com arrogância com relação a Sara e tratando-a com desprezo.

Para usar uma expressão mais leve, podemos dizer que Sara não "reagiu" bem. Na verdade, ela ficou totalmente furiosa! Decidida a dar uma lição em Agar, Sara a importunava e humilhava sempre que tinha chance. Então Agar fugiu... Para o único lugar para onde é possível correr quando se vive em uma cidade de tendas no Oriente Médio.

O deserto.

Para uma jovem grávida, sozinha e sem provisões, o deserto é um lugar duro para se viver. E perigoso também. Agar poderia ter morrido ali. Mas ela não morreu porque Deus, em Sua grande misericórdia, encontrou-a ali e lhe disse o que fazer.

> *Volte para a sua senhora e submeta-se [humildemente] ao controle dela... Multiplicarei os seus descendentes extremamente, de modo que eles serão tão grande multidão que não se poderá contar... Você está grávida e terá um filho, e lhe dará o nome de Ismael [Deus ouve], porque o SENHOR ouviu e prestou atenção à sua aflição... Então ela chamou o SENHOR que lhe falou de "Tu és do Deus... que me vê...".*
>
> Gênesis 16:9-13

O Deus que me vê. Que nome maravilhoso para o Senhor! E ele foi dito pela primeira vez por uma mãe em uma situação de partir o coração. Uma mãe que havia sido vítima de atitudes infelizes e de um comportamento ímpio, como acontece com todas nós de tempos em tempos.

O problema de Agar em parte era culpa de Abraão e Sara, e em parte dela mesma. O próprio Deus não teve culpa alguma. Mas Ele ainda assim interveio, derramou a Sua bondade sobre ela e prometeu a ela e a seu filho um futuro frutífero.

Se Deus fez isso por Agar no tempo do Antigo Testamento, não podemos nós, como mães do Novo Testamento, estar ainda mais certas de que Deus verá e cuidará de nós quando estivermos no deserto? Não podemos nos aproximar dele com confiança, para receber misericórdia e graça que nos auxiliem em tempos de necessidade, ainda que a nossa necessidade seja resultado do nosso próprio mau julgamento ou mau comportamento?

Sim! Sem dúvida podemos!

Mas quando o fizermos, devemos lembrar que Deus não vai sempre nos livrar instantaneamente de toda situação problemática. Ele nem sempre vai fazer com que as nossas dificuldades desapareçam. Assim como enviou Agar de volta e a fez ter de tolerar Sara por mais algum tempo, Deus muitas vezes exigirá que lidemos com nossos problemas ao longo do tempo, mas com a ajuda dele. E quando dissermos a Deus que não conseguimos dar conta da situação, Ele nos dirá o que disse a Paulo em 2 Coríntios 12:9: "*A minha graça... te basta*".

"Senhor, a personalidade teimosa do meu filho é demais para mim! Ele está me deixando louca!"

A Minha graça te basta.

"Senhor, sei que precisamos do dinheiro, mas não consigo ficar neste emprego nem mais um dia!"

A Minha graça te basta.

"Senhor, é difícil ser mãe solteira. Estou muito cansada para continuar!"

A Minha graça te basta.

O Que Exatamente é a Graça de Deus?

A graça é o poder de Deus que nos capacita a fazer com facilidade o que nunca poderíamos fazer sozinhas. É Seu favor divino derramado sobre nossas vidas que nos dá tudo o que precisamos. Com a ajuda da graça de Deus, você e eu podemos realizar coisas que seriam impossíveis fazermos sozinhas, por mais que nos esforçássemos e tentássemos.

> *A graça é o poder de Deus que nos capacita a fazer com facilidade o que nunca poderíamos fazer sozinhas.*

E porque Deus derrama sobre nós graça abundante de acordo com nossa necessidade, a graça é o grande nivelador! Quanto mais problemas e fraquezas você tem, mais graça você recebe!

"Mas você não conhece a minha situação", você pode dizer. "Você nunca teve de lidar com o tipo de coisas que preciso enfrentar".

Estou certa de que isso é verdade. Todas nós temos nossa própria corrida para correr e as nossas próprias tempestades para vencer. Quando Deus me chamou para o ministério, eu tinha três adolescentes em casa e um bebê que costumava carregar no colo enquanto tentava fazer a vontade de Deus. Tive de lidar com um pai que havia abusado sexualmente de mim por anos quando eu era criança e ainda se recusava a reconhecer que estava errado, e uma mãe que negava completamente o que ocorrera. Precisava lidar com o fato de que meus amigos e família haviam me rejeitado completamente porque eu estava ensinando a Palavra de Deus e, na opinião deles, "Mulheres não podem fazer isso!" Eu também tinha uma série de pequenos problemas de saúde acarretados pelo estresse sofrido por um longo período.

E mais, enquanto eu ensinava a Palavra e tentava ser uma boa mãe, esposa e dona de casa, tudo ao mesmo tempo, meu marido não estava agindo como eu achava que ele deveria. Ele insistia em usar o tempo livre dele para jogar golfe ou assistir ao futebol na televisão em vez de me servir. Usei todas as estratégias que conhecia para tentar mudá-lo. Eu fazia cara feia. Eu discutia. Eu manipulava. Até pedia a Deus para convencê-lo! Mas Deus não fez as coisas do meu jeito. Aparentemente, Ele queria que eu focasse na minha própria caminhada com Ele e não na de Dave. Assim, em vez de mudar Dave e levá-lo a fazer o que eu queria que ele fizesse, Deus me deu uma dose extra de graça para deixar que Ele me transformasse e para confiar que Ele cuidaria de tudo o mais. Eu adoraria dizer que isso aconteceu drástica e rapidamente, mas para ser sincera, demorou muito mais do que eu gostaria; entretanto, Deus finalmente usou as coisas com as quais eu tinha dificuldade de lidar para me transformar e me levar a um relacionamento mais profundo e mais íntimo com Ele.

Essa é a minha história. A sua pode ser muito diferente. Os desafios que enfrentamos são todos únicos e muito diferentes. Mas ainda assim, você pode ter certeza de uma coisa: Deus lhe dará graça mais do que suficiente para dar conta deles. Se você é uma mãe solteira, criando vários filhos sozinha e trabalhando em tempo integral para pagar as contas, Deus vai enchê-la por completo com graça suficiente para fazer tudo isso com alegria e paz. Se você é uma mãe que fica em casa com seus filhos e está se sentindo isolada do mundo e infrutífera no Reino de Deus, Ele fará o mesmo, dando-lhe a Sua graça no momento de necessidade. Deus promete dar a cada um de nós...

- Mais e mais graça (ver Tiago 4:6).
- *"... uma graça após a outra e bênção espiritual sobre bênção espiritual e até favor sobre favor e dom [acumulado] sobre dom"* (João 1:16).
- Uma medida inigualável da graça de Deus (ver 2 Coríntios 9:14).

Vi um exemplo disso na vida de minha filha Sandra. Depois que seus gêmeos nasceram, o Senhor levou-a a abrir mão de trabalhar no nosso ministério e ficar em casa em tempo integral. Ela sabia que essa era a decisão certa a ser tomada na época e, como todas as mães com filhos pequenos, ela tinha muitas ocupações. Mas mesmo assim, Sandra continuava a ansiar por alcançar outras pessoas com a Palavra de Deus. Então ela pediu a Deus por mais graça. Ela orava todos os dias com suas filhas de dois anos para que Ele fizesse delas uma luz onde quer que elas fossem.

E sem dúvida, Ele fez isso! Deus deu a Sandra ideias inspiradas e a ousadia para colocá-las em prática. Uma vez, por exemplo, ela decidiu encorajar e incentivar o lixeiro. Ela escreveu um bilhete de agradecimento para ele e colocou no envelope uma nota de cinquenta dólares. Sandra disse a ele para se dar de presente um bom almoço com aquele dinheiro, e lhe deu um de meus livros. Em outra ocasião, ela estava dirigindo pela rua e observou alguns ciclistas reunidos em um estacionamento. Seguindo uma direção do Senhor, ela estacionou, conversou com eles e deu-lhes de presente um kit dos meus CDs de mensagens.

Acredite em Milagres

Algumas de vocês talvez saibam mais sobre a graça de Deus do que eu sabia quando era uma jovem mãe. Nos primeiros anos em que tentei viver para Deus, eu não fazia ideia do que a graça significava. Sabia que havia sido salva pela graça por meio da fé, mas pensava que depois de ter nascido de novo, tinha de fazer tudo na minha própria força. Minha sensação era de que Deus havia me passado a bola e estava esperando que eu fizesse o gol. Ah, que sofrimento!

Quanto mais estudava a Palavra, mais eu via todas as coisas que estavam erradas em mim, mas eu não conseguia encontrar forças para mudá-las. Quando ouvia uma boa pregação sobre como devia viver e o que eu precisava fazer, eu concordava com ela, tentava agir com base nela, mas só me decepcionava. Eu lia um bom livro cristão, identificava em que áreas estava deixando a desejar, e logo em seguida deixava a desejar novamente. Todo esse processo de tentativa e erro só me deixava ainda mais frustrada, e ele geralmente fazia com que eu ficasse rabugenta com meus filhos.

Mas felizmente, com a ajuda do Senhor, finalmente comecei a aprender a receber a graça de Deus. Parei de lutar na carne, comecei a reconhecer a minha total dependência de Deus e confiei nele para fazer através de mim as coisas que eu não podia fazer sozinha.

Alguém disse certa vez: "Os milagres acontecem quando paramos de dizer 'não posso'", e eu concordo. Os milagres começaram a acontecer em minha vida quando parei de dizer coisas do tipo "Não posso mais aguentar!" e comecei a confessar pela fé: "Posso todas as coisas em Cristo que me fortalece. Sem Ele não sou nada, mas com Ele posso fazer tudo o que Ele me chamar para fazer. Nada é impossível para Ele. Ele pode fazer qualquer coisa e o poder dele está em mim!"

Ainda digo essas coisas — várias vezes por dia — quase todos os dias. Isso me ajuda a adorar a Deus e a ativar o poder vencedor da Sua graça em minha vida. Declarar essas palavras fará o mesmo por você. Portanto, se você ainda não começou a declará-las, comece. Adote o hábito de confiar em Deus e de cantar Seus louvores em todo o tempo. Comece a dizer: "Posso fazer tudo o que preciso fazer na vida através de Cristo que é a minha Força!"

Pratique crer na Sua Palavra e depender do Seu poder até mesmo durante os dias ensolarados da vida. Se aprender a fazê-lo, você estará pronta quando os ventos dos problemas soprarem e não entrará em pânico. Você saberá que por causa da graça de Deus, a luz sempre vence as trevas e o bem sempre vence o mal nas vidas daqueles que confiam no Senhor. Você poderá abrigar seus pequeninos com seu escudo da fé e dizer: "Vai ficar tudo bem. Vocês não precisam se preocupar com a tempestade. O Leão de Judá está bem aqui conosco... e Ele pode cuidar dela".

CAPÍTULO 4

Encha o Tanque!

Uma vez fizeram esta pergunta a um grupo de crianças do jardim de infância: "O que Deus usou para fazer as mães?" A resposta coletiva deles foi clássica.

"Nuvens, cabelo de anjo e tudo de bom que há no mundo... com uma pequena pitada de maldade".

Quando meus filhos eram pequenos, eles talvez não concordassem com a parte das nuvens e do cabelo de anjo. Suspeito, porém, que eles teriam concordado com a *pequena pitada de maldade*. Eles definitivamente tinham motivos para isso. Durante minha primeira década como mãe (talvez até um pouco mais que isso), eu costumava ser o que se pode chamar de "rabugenta".

Não era intencional, é claro. Amo meus filhos, como todas as mães amam, e queria ser sempre paciente e bondosa com eles. Às vezes eu era. Mas outras vezes, era exatamente o oposto. Eu era meio que uma versão maternal de *O Médico e o Monstro!*

Eu tentei mudar; realmente tentei. E se o que os poetas dizem fosse verdade, eu deveria ter conseguido. Nos cartões de felicitações que compramos na papelaria, sempre dizem que o amor de uma mãe é o maior, mais incondicional e infinito amor que existe. Mas por melhor que essas palavras soem, posso testemunhar por experiência própria que isso não é verdade. O amor humano, mesmo quando ele vem de uma mãe, tem seus limites.

E muitas vezes eu cheguei a esse limite.

Provavelmente cheguei ao limite com um pouco mais de frequência do que as outras mães, porque minha vida emocional era um grande caos. Devido aos anos de abuso sofridos na infância, eu me irava com facilidade e me sentia frustrada na maior parte do tempo. Meu humor podia oscilar drasticamente de bom para mau, sem aviso.

Eu sabia que havia uma maneira melhor de viver porque ouvia muitas mensagens sobre o amor na igreja. Também lia na Bíblia como o amor verdadeiro, o amor de Deus (que é muito superior ao tipo de amor natural das mães) se comporta. Como diz 1 Coríntios 13:4-5, 7-8:

> O amor é paciente, é bondoso... não é rude (grosseiro) e não age de forma inconveniente. O amor (o amor de Deus em nós) não insiste nos seus próprios direitos ou em ter as coisas do seu jeito, pois ele não é egocêntrico; ele não é hipersensível, irritadiço ou rancoroso; ele não guarda o mal que lhe é feito [ele não presta atenção ao mal sofrido].

O amor resiste a qualquer coisa e a tudo que vier, está sempre pronto para acreditar no melhor de cada pessoa, suas esperanças não desfalecem em circunstância alguma e ele suporta tudo [sem enfraquecer]. O amor nunca falha...

Embora ainda fosse nova nas coisas de Deus quando li esses versículos pela primeira vez, eu queria de todo o coração vivê-los. Era algo que eu esperava fazer. Afinal, como cristã, sou uma dessas pessoas sobre quem Romanos 5:5 está falando quando diz que *"o amor de Deus foi derramado em nossos corações através do Espírito Santo que nos foi dado"*.

Mas as coisas não saíram como eu esperava.

Enquanto as crianças estavam na escola, eu passava tempo ouvindo mensagens em áudio, louvando ao Senhor e me tornando alguém muito espiritual. E enquanto estava sozinha em casa, eu era extremamente amorosa. (Você já percebeu como é mais fácil amar os outros quando se está sozinha?) Quando as crianças chegavam em casa eu estava cantando louvores na pia da cozinha. Mas então elas começavam a bater as portas e a deixar cair os livros e os louvores cessavam. De repente, eu explodia de irritação. "Qual é o problema de vocês, crianças?! Será que vocês não podem tomar mais cuidado? Blá... blá... blá...!"

Sentia-me péssima com essa situação, mas ela continuava acontecendo repetidamente. Eu não conseguia entender qual era o problema. Então, um dia, o Senhor me explicou. "Joyce", Ele disse, "você anda pela casa o dia inteiro se sentindo mal consigo mesma e essa pressão acumula tanto vapor dentro de você que qualquer coisinha pode fazê-la explodir!"

Eu sabia exatamente o que Ele queria dizer. Minha mãe tinha uma panela de pressão quando eu era pequena. Ela tinha um pequeno disco de metal no topo que começava a se movimentar e a apitar quando aquecia. Se eu me aproximasse dela, minha mãe dizia: "Não toque nisso! Ela pode explodir!"

Eu era assim com meus filhos naquela época. Era como se eu andasse por aí com uma daquelas coisinhas de metal em cima da minha cabeça. Tudo que as crianças tinham de fazer era me irritar com qualquer coisa mínima, e então eu explodia porque, lá no fundo, me sentia muito mal comigo mesma.

E por que me sentia mal comigo mesma?

Por uma simples razão: eu ainda não tinha uma revelação completa e pessoal do quanto Deus me ama.

Você Não Pode Dar o Que Não Tem

Embora ouvisse ensinamentos e lesse sobre o amor na Bíblia, eu ainda tinha dificuldades para compreender o amor de Deus. A questão é que eu estava mais focada no que a Bíblia diz sobre como devemos amar os outros. Eu me concentrava no que ela nos ensina sobre dar amor. O que eu não percebia era que:

É impossível dar alguma coisa que você não tem. Então, para dar o amor de Deus aos outros, eu precisava recebê-lo primeiro. Isso era algo que eu não havia feito. Embora fosse salva e tentasse ter um relacionamento com Deus, minha comunhão com Ele era disfuncional. Eu não sabia como receber o amor de Deus, nem o amor de

> *É impossível dar alguma coisa que você não tem. Então, para dar o amor de Deus aos outros, eu precisava recebê-lo primeiro.*

ninguém! Era por isso que — por mais que desejasse andar constantemente no amor de Deus, não apenas para com meus filhos, mas também para com meu marido, meus parentes, meus vizinhos e até para com meus inimigos — eu não conseguia andar em amor, nem mesmo um pouco.

Quando Deus me mostrou qual era o problema, decidi fazer algo a respeito. Passei um ano inteiro estudando e confessando o que a Bíblia diz sobre o quanto Deus me ama. Durante aquele ano, meu principal objetivo foi me firmar fortemente no fundamento do amor de Deus. Eu passava tempo com o Senhor aceitando deliberadamente Seu amor pela fé, e ao longo do dia afirmava repetidas vezes. Eu provavelmente dizia 100 vezes por dia: "Deus me ama!" Eu não me sentia necessariamente diferente a princípio. Mas com o tempo, o amor de Deus se tornou uma realidade para mim.

Talvez eu fosse um caso especialmente difícil. Por causa de tudo o que passei, talvez eu tivesse de trabalhar mais duro do que outras mães cristãs para receber o amor de Deus.

Mas ainda assim, o princípio básico que descobri é verdadeiro para todas as mães: se quisermos derramar o amor de Deus nas vidas dos nossos filhos, precisamos primeiro recebê-lo em nossas próprias vidas.

Em outras palavras, se não quisermos ficar sem gasolina quando a estrada se tornar íngreme e a jornada da maternidade parecer longa, então é melhor estacionarmos no posto do amor de Deus todos os dias e dizer: "Eis-me aqui, Senhor. Encha o tanque!"

A Melhor Coisa que Você Pode Fazer Por Sua Família

Sei o que provavelmente está pensando. Você está tentando descobrir como fazer isso. Como mãe, seu horário já está totalmente preenchido. Como você vai encontrar tempo para ir até Deus e ser cheia? Você é como aquela mulher que está consultando um psicólogo para pedir ajuda. "Vamos ver", ele diz. "Você gasta 50% da sua energia com seu marido, 50% com seus filhos e 50% com seu trabalho. Acho que sei qual é o seu problema".

Essa ilustração não serve apenas para nos fazer dar uma boa risada, ela mostra também algo incrível. Quando as mães gastam todo seu tempo — e mais um pouco — com os outros e não dedicam tempo para si mesmas, elas começam a ter problemas. Vejo isso acontecer o tempo todo, não apenas com as mães, mas com os pastores também. Eles se dedicam tanto a atender às necessidades de outras pessoas que ignoram suas próprias necessidades. Depois de algum tempo, eles começam a ter problemas.

Às vezes eles se exaurem fisicamente. Por terem a sensação de que há muito a se fazer, eles não dedicam tempo para se exercitar e para descansar seu corpo adequadamente. Eventualmente, eles são jogados para escanteio pela fadiga, fraqueza ou doença. Então, todos os que dependem deles sofrem.

No meu ministério, investi muito tempo encorajando os crentes a cuidarem de seus corpos. "Eles são a casa onde vocês moram", digo a eles. "Se a destruírem, vocês terão de sair!" Porém, por mais importante que sua saúde física seja, o bem-estar espiritual é ainda mais vital. Você não pode fazer o que Deus a chamou para fazer sem tirar um tempo diário para cuidar dele. É por isso que, como mãe, a melhor coisa que você pode fazer por sua família é dedicar tempo todos os dias para ter comunhão com Deus. (Vamos falar mais sobre isso nos capítulos seguintes).

Sei que não é algo fácil. Sei que seus filhos podem querer toda a sua atenção o tempo todo. Mas você só pode dar a eles o tipo de atenção que eles realmente necessitam se colocar seu relacionamento com o Senhor em primeiro lugar.

Uma mãe do Texas que recentemente compartilhou conosco sua história

> *É por isso que como mãe a melhor coisa que você pode fazer por sua família é dedicar tempo todos os dias para ter comunhão com Deus.*

acrescentaria um amém caloroso a essa afirmação. Há trinta anos, ela decidiu que seus filhos estariam muito melhor se ela dedicasse a primeira hora do seu dia a Deus, todos os dias. Na época, a agenda dela já estava lotada de compromissos. Ela tinha um filho no jardim de infância, um no ensino fundamental e um enteado no ensino médio. Ela também trabalhava em tempo integral e ensinava na Escola Dominical. E ainda por cima, seu marido viajava muito e a maior parte das tarefas domésticas ficava a encargo dela.

O único lugar que ela conseguiu encontrar na casa para ficar a sós com Deus foi o closet de seu quarto. Então era para lá que ela ia todas as manhãs bem cedo, com a Bíblia na mão, para orar. Como o diabo luta com todas as suas forças para impedir que passemos tempo com Deus, o que aconteceu em seguida não é surpresa. Um cano embaixo do closet começou a vazar lentamente, encharcando insistentemente o chão acarpetado. Embora o senhorio tenha esperado seis semanas para consertar o vazamento, essa mãe se recusou a se deixar parar. Ela simplesmente estendia um grande saco plástico de lixo sobre o carpete encharcado e continuava a orar.

Quando ela iniciou esse tempo de oração, a família estava um caos. Problemas financeiros e o estresse gerado por fazer parte de uma família a deixaram irritada e perturbada. Nenhuma das crianças estava interessada em Deus e os mais velhos estavam começando a ter problemas sérios. Mas, pouco a pouco, as coisas começaram a mudar. À medida que essa mãe passava tempo recebendo o amor

de Deus para si mesma, a atmosfera em sua casa começou a ficar mais branda e mais calorosa. Sua paciência e
alegria aumentaram. Embora ela ainda estivesse longe de
ser perfeita, o novo tipo de amor que seus filhos viam nela
os afetou profundamente. Logo, eles foram todos salvos e
estavam apaixonados pelo Senhor.

Eles continuam apaixonados até hoje. Estão seguindo o
exemplo da mãe e criando os netos dela nos caminhos do
Senhor. Quando essa mulher vai à igreja no domingo e olha
para o pastor de pé atrás do púlpito, ela fica especialmente
feliz por ter passado todas aquelas horas tendo comunhão
com Deus recebendo o amor dele... porque agora o seu
pastor é o seu filho.

Inúmeras mães em toda nação e em todo o mundo têm
histórias semelhantes para contar. Cada uma delas certamente lhe garantirá que você não deveria se sentir culpada
por, em meio a sua agenda cheia, separar tempo para ficar
a sós com o Senhor e receber o amor dele. Esse é o investimento mais valioso que você poderia fazer em sua família.

Um Ciclo Sobrenatural

Gosto da expressão *investimento* porque ela representa um
ciclo de entrada, retorno e crescimento contínuo. O ciclo
do amor de Deus é assim: Ele investiu Seu amor em você
enviando Jesus. Quando investe tempo para receber esse
amor e amá-lo em troca, o amor dentro de você aumenta.
Você começa a ver a si mesmo de modo diferente e é mais

capaz de amar a si mesmo. (Isso é bom! Jesus nos disse para amarmos o nosso próximo como a nós mesmos, certo?) Você também tem mais amor para dar aos outros. Porque o amor de Deus transborda em você, você pode amar todos os que a cercam como Jesus ama.

A Bíblia fala sobre isso do seguinte modo em 1 João 4:10, 16-17:

> *Nisto consiste o amor: não em que nós tenhamos amado a Deus, mas em que Ele nos amou e enviou o Seu Filho para ser a propiciação (sacrifício expiatório) pelos nossos pecados. E nós conhecemos (entendemos, reconhecemos, temos consciência de, pela observação e pela experiência) e cremos (aderimos a e colocamos fé em e dependemos do) o amor que Deus tem por nós. Deus é amor, e aquele que permanece e continua em amor permanece e continua em Deus, e Deus permanece e continua nele. Nisto [nesta união e comunhão com Ele] o amor é levado ao aperfeiçoamento e atinge a perfeição conosco... porque conforme Ele é, assim somos nós neste mundo.*

Quando se vive neste ciclo de amor e seu filho quebra uma vidraça jogando futebol ou sua filha derrama esmalte no tapete, você não precisa explodir como uma panela de pressão. Você pode fazer algo muito diferente. Pode permitir que o amor de Deus que está dentro de você flua como um rio e traga paz à situação. Você pode dar a correção necessária sem se exceder movida pela ira. Você pode ser tão sobrenaturalmente paciente e gentil que seus filhos pensarão: *Uau, mãe... O que aconteceu com você?*

Portanto, dê a si mesma permissão para ser como o discípulo João. Ficar próximo de Jesus era algo tão habitual para ele que ele chamou a si mesmo de "o discípulo a quem Jesus amava" (João 13:23, NVI). Na Última Ceia, ele era aquele que estava recostado contra o peito de Jesus.

Toda mãe precisa de tempo para si mesma, para recostar-se em Jesus. Todas nós precisamos reabastecer continuamente nosso coração com a revelação de que somos profunda e ternamente amadas por Deus. E, por mais ocupada que esteja, você não é exceção. Você precisa ser lembrada diariamente de que...

- Deus amou e valorizou tanto você a tal ponto que abriu mão de Seu Filho Unigênito, para que você pudesse crer nele e não perecer, mas ter vida eterna (João 3:16).
- Jesus ama você exatamente como o Pai o ama (João 15:9).
- Não há maior prova de amor ou afeição do que entregar sua própria vida pelos seus amigos — e foi isso que Jesus fez por você! (João 15:13).
- Seu Pai celestial ama você ternamente, não porque você faz tudo perfeitamente, mas simplesmente porque você amou Jesus e creu que Ele veio do Pai (João 16:27).

- O Pai ama você tanto quanto ama Jesus (João 17:23).
- Deus provou Seu amor por você pelo fato de que Cristo morreu em seu lugar quando você ainda era uma pecadora (Romanos 5:8).
- Nada jamais poderá separar você do amor de Deus que está em Cristo Jesus nosso Senhor (Romanos 8:38-39).
- O Pai tem um amor tão incrível por você que a escolheu para ser Sua própria filha (1 João 3:1).

Esses são apenas alguns dos versículos da Bíblia que falam sobre o quanto Deus a ama. Encorajo você a usá-los para fazer seu próprio estudo sobre o amor de Deus. Dedique algum tempo para mergulhar na Palavra e se aproximar de Jesus. Recline-se em Seu peito e diga: "Eis-me aqui, Senhor. Encha o tanque!"

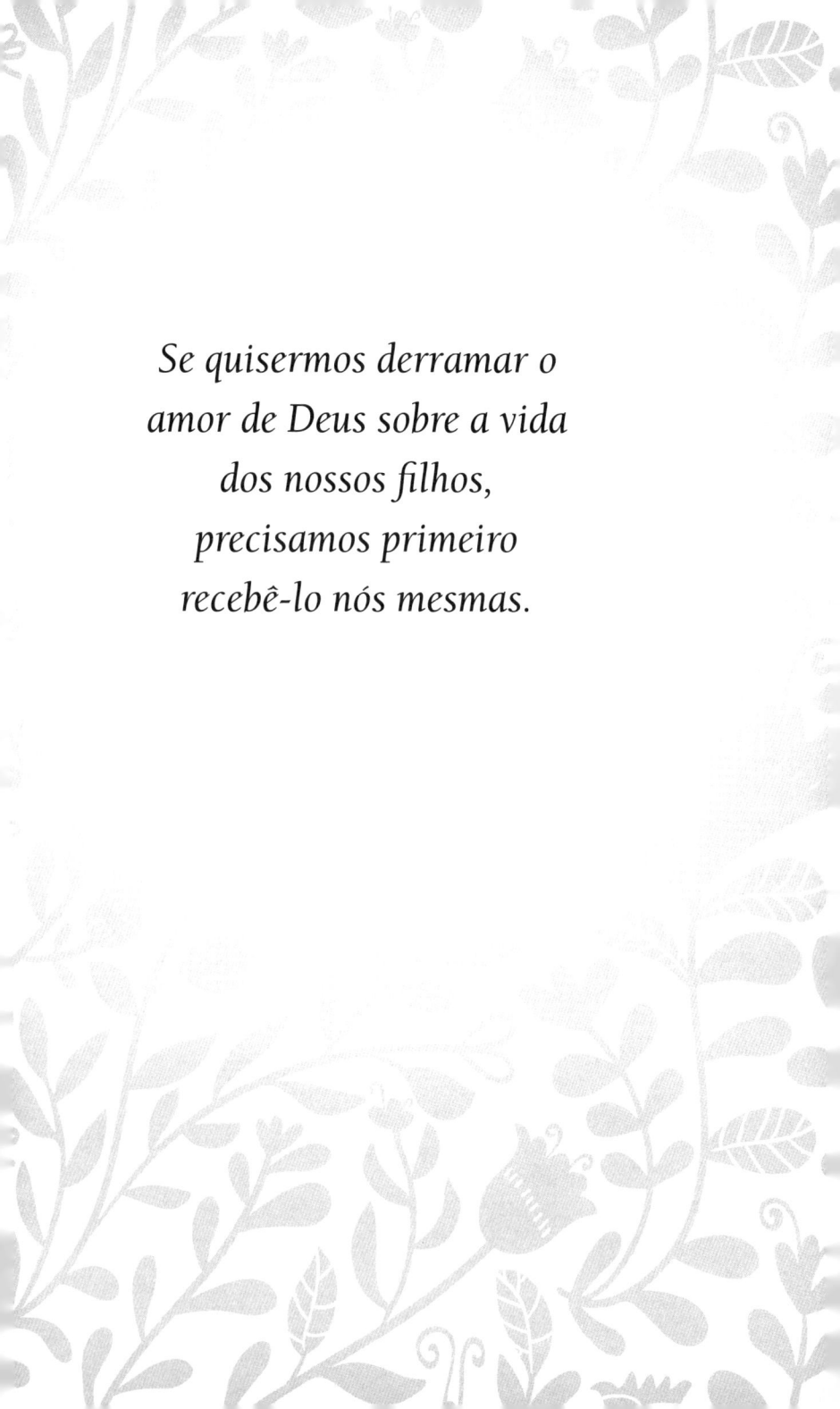

*Se quisermos derramar o
amor de Deus sobre a vida
dos nossos filhos,
precisamos primeiro
recebê-lo nós mesmas.*

CAPÍTULO 5

Mantenha Seus Olhos no Espelho

O que Jesus faria?

Há alguns anos, essa era uma pergunta popular. Parecia que em toda parte havia pessoas fazendo essa pergunta, e muitas até usavam pulseiras com as iniciais "OQJF" escritas nelas ou tinham adesivos no porta-malas do carro com essas iniciais representando a pergunta: "O que Jesus faria?" Você não a ouve muito atualmente, mas enquanto trabalhava neste livro, percebi que essa é uma ótima pergunta para as mães cristãs. Ela realmente resume quase tudo que precisamos saber.

Quando nossos filhos estão se comportando mal e nenhuma das nossas táticas disciplinares funcionam, precisamos saber o que Jesus faria para consertar as coisas. Quando estamos no limite e um de nossos filhos continua testando nossa paciência, precisamos saber o que Jesus faria para não perder o controle. Quando olhamos para os perigos que nos cercam e nos preocupamos se Deus protegerá nossos pequeninos, ou nos perguntamos como dar um bom exemplo para nossos filhos seguirem, precisamos saber o que Jesus faria em nosso lugar.

Imagine por um instante que grande pai Jesus seria!

- Ele confiaria na Sua capacidade de disciplinar adequadamente porque tem a sabedoria de Deus.
- Ele seria sempre paciente porque é cheio do fruto do Espírito.
- Ele confiaria sempre em Deus para protegê-los porque vive pela fé.
- Ele daria um bom exemplo 24 horas por dia, 7 dias por semana, porque é o retrato perfeito e a própria imagem de Deus.

"Isso é verdade", você talvez diga, "e para Jesus está tudo certo. Mas não vejo como isso pode me ajudar. Não tenho todas as qualidades maravilhosas que Ele tem. *Não sou como Ele!*"

Sim.

Você.

É.

Se você recebeu Jesus como seu Salvador, você tem em seu interior tudo o que Ele é e tudo o que Ele tem. Por meio do milagre do novo nascimento, Ele foi reproduzido dentro de você. Essa não é simplesmente minha opinião. É o que o Novo Testamento diz. Versículo após versículo ele declara:

Vocês foram recriados à imagem de Jesus, regenerados (nascidos de novo), não de uma origem (semente, esperma) mortal, mas de uma origem que é imortal pela eterna e sempre viva Palavra de Deus.

1 Pedro 1:23

Vocês estão unidos ao Senhor e são um espírito com Ele.

1 Coríntios 6:17

Vocês se tornaram participantes da natureza divina.

2 Pedro 1:4

Vocês nasceram do Espírito, e o fruto do Espírito [Santo] [a obra que a Sua presença interior realiza] é amor, alegria (satisfação), paz, paciência, (um temperamento regular, domínio próprio), benignidade, bondade (benevolência), fidelidade, amabilidade, (mansidão, humildade), domínio próprio (autocontrole, temperança).

João 3:8, Gálatas 5:22-23

Vocês têm a mente de Cristo (o Messias) e realmente têm os pensamentos (sentimentos e propósitos) do Seu coração.

1 Coríntios 2:16

Porque nele toda a plenitude da Divindade continua a habitar em forma corpórea [dando completa expressão à divina natureza]. E vocês estão nele, aperfeiçoados e tendo chegado à plenitude da vida [em Cristo vocês também são cheios

da Divindade — Pai, Filho e Espírito Santo — e atingem
plena estatura espiritual].

Colossenses 2:9-10

Sei que provavelmente você está pensando: *Se todas*
essas coisas a meu respeito são verdade, então por que tenho
tantas lutas? Por que termino tantas vezes fazendo o que Jesus
não faria?

Porque a parte de você que é como Ele — seu espírito —
está escondida dentro de você. Ela está guardada, por assim
dizer, dentro da sua alma e do seu corpo. (É importante
se lembrar disso: você é um espírito, tem uma alma e vive
dentro de um corpo.) Diferentemente do seu espírito, sua
alma e seu corpo não foram recriados quando você nasceu
de novo. Eles ainda não mudaram à semelhança de Jesus.
Eles precisam ser transformados (completamente mudados)
ao longo do tempo até que se conformem e reflitam seu
verdadeiro eu interior.

Essa transformação pode ser um processo desafiador.
A primeira coisa importante a fazer é crer que você tem a
natureza de Deus habitando em seu interior. O que você crê
determina como você vive, de modo que o que você crê é
extremamente importante. Em segundo lugar, lembre-se de
que essa transformação é um processo. Celebre suas vitórias
ainda que elas sejam pequenas — veja o quanto você já
avançou no seu crescimento em Deus e não fique estressada
com o quanto acha que ainda precisa caminhar. Trabalha-
remos em parceria com o Espírito Santo pelo restante de
nossas vidas, aprendendo a nos render à Sua vontade em

vez de seguir nosso próprio caminho movidas por emoção e obstinação. Podemos, entretanto, acelerar as coisas fazendo algo em que nós, mulheres, costumamos ser muito boas: olhar no espelho — *e muito*!

Duas Revelações Que Transformarão Sua Vida

Antes que você fique muito entusiasmada, deixe-me esclarecer. Não estou falando sobre olhar no tipo de espelho que fica pendurado sobre a pia do seu banheiro. Isso não a ajudará muito a se tornar mais semelhante a Jesus. Se ajudasse, a maioria de nós já seria santificada só porque passamos horas incontáveis olhando nesse tipo de espelho enquanto nos arrumamos. Eu certamente já estaria assim. Afinal, não acordo parecendo aquela pessoa que você vê quando estou na televisão ou ensinando em conferências.

Passo tempo todas as manhãs escarafunchando bolsas cheias de maquiagem, untando o rosto com creme, e borrifando os cabelos com todo tipo de sprays. Gosto de ter a melhor aparência possível quando saio, de modo que considero meu espelho natural uma ferramenta diária muito importante na minha vida.

Tenho outro espelho, porém, que é muito mais importante para mim. É um espelho espiritual que mudou não apenas minha aparência, mas minha maneira de viver. É um espelho que me transformou de dentro para fora e me deu uma vida inteiramente nova.

Caso você não tenha adivinhado ainda, estou falando sobre o espelho da Palavra de Deus.

Embora seja triste dizer, vivi por anos como mãe e como cristã sem descobrir a existência desse espelho. Ah, eu lia a Bíblia às vezes. Houve épocas em que até mesmo lia um capítulo todos os dias. Estava fazendo isso para Deus e ganharia pontos com Ele por isso. Finalmente, porém, o Senhor me fez ver as coisas da maneira correta. Ele disse: "Joyce, quando você lê a Bíblia isso não *me* ajuda. Isso ajuda *você*!"

Como exatamente a Palavra nos ajuda?

A Palavra de Deus nos auxilia de muitas maneiras diferentes, mas quando nos aproximamos dela como se fosse um espelho, ela nos transforma revelando duas coisas: primeiro, ela nos mostra quem somos em Cristo. Ela abre nossos olhos para a nossa verdadeira identidade espiritual. Em segundo lugar, ela nos mostra o que precisamos mudar pela graça de Deus em relação a nossas atitudes e atos para que nosso exterior possa se tornar mais compatível com nosso interior. Em outras palavras, ela nos revela como viver sendo as pessoas que fomos criadas para ser.

Se alguma vez você já assistiu ao desenho animado da Disney *Tarzan* com seus filhos, viu uma boa ilustração do que esse tipo de revelação pode fazer. (Sim, sei que Tarzan não era cristão, mas me permita fazer essa comparação.) Pense no que aconteceu naquele filme. No início, os pais de Tarzan morreram e ele perdeu sua identidade. Os gorilas na selva o pegaram e o criaram como um deles. O resultado foi que ele passou a se identificar com eles e agir como eles.

Então ele encontrou seres humanos e sua vida começou a mudar. Quanto mais ele via como os humanos viviam e se comportavam, mais ele se via neles. Ele se deu conta de que não era de modo algum um gorila, mas uma espécie totalmente diferente de ser com a capacidade de viver um tipo de vida inteiramente diferente. Ele começou a viver sua verdadeira identidade. Em vez de agir como um gorila, ele começou a agir como um homem!

Em certo sentido, é isso que acontece quando os cristãos leem a Palavra de Deus. Pelo fato de que Jesus é a Palavra que se tornou carne, nós o vemos em cada página da Bíblia (ver João 1:14). Vemos quem Ele é, como pensa e como age. Nós vemos nele quem nascemos de novo para ser. Nesse processo, nos damos conta cada vez mais de que o que a Bíblia diz sobre nós é realmente e literalmente verdade!

> *Se uma pessoa está [enxertada] em Cristo (o Messias) ela é uma nova criação (uma criatura completamente nova); as coisas velhas [o estado moral e espiritual anterior] passaram. Eis que o novo chegou!*
>
> 2 Coríntios 5:17

> *A todos nós, como com o rosto desvendado, [porque nós] continuamos a contemplar [na Palavra de Deus] como em um espelho a glória do Senhor, estamos sendo constantemente transfigurados à Sua própria imagem em esplendor cada vez mais crescente e de um nível de glória para outro.*
>
> 2 Coríntios 3:18

Chega de Andar Titubeando no Escuro

Eu pessoalmente amo ver qual é minha aparência segundo a Palavra! Isso faz com que me sinta bem comigo mesma. Faz com que eu tenha algo a declarar quando abro meus olhos logo pela manhã e me lembro dos erros que cometi no dia anterior. Se olhei no espelho da Palavra, não tenho de puxar as cobertas e cobrir a cabeça me escondendo enquanto lido com acusações do inimigo ou sentimentos de condenação. Posso me levantar de maneira confiante e cheia de alegria por causa de quem eu sou em Cristo! Quanto mais confiança temos como mães, mais confiança seremos capazes de transmitir aos nossos filhos.

Outra coisa que amo em relação a olhar na Palavra é que isso me ajuda a ver onde tenho errado. Ela lança luz sobre as áreas escuras da minha vida nas quais tenho andado confusa e preciso de sabedoria, iluminando os pontos nas quais tenho tropeçado e criado problemas porque não tenho luz suficiente para ver onde estou errando.

Alguns crentes têm medo desse tipo de luz. Eles acham que ser corrigido pela Palavra é uma coisa negativa. Mas não é! É como olhar no espelho e perceber que você tem uma mancha de chocolate no rosto ou um pedaço de alface entre os dentes. Talvez você se sinta constrangido por alguns instantes, mas mesmo assim, ficará feliz por ter olhado. Do contrário você poderia passar o dia inteiro sem corrigir o problema.

Sei do que estou falando por experiência própria. Antes de começar a estudar a Palavra, vivi por anos sem saber o caos que era a minha vida. Achava que todos os outros eram o problema. Eu pensava que minha vida era infeliz porque Dave precisava mudar... Ou meus filhos precisavam mudar... Ou nós precisávamos de uma casa maior ou de mais dinheiro. Eu precisava da luz espiritual da Palavra de Deus para ver que a maior mudança que precisava ocorrer na minha vida era em mim mesma.

Graças a Deus pela Palavra! Há vida, luz e poder transformador na Palavra de Deus. Ela revolucionou completamente minha vida.

O mesmo pode se aplicar a você. A Palavra de Deus não apenas pode ajudá-la a ser uma grande mãe, como ela também lhe dirá o que você precisa saber para ter vitória em todas as áreas da vida. É por isso que Deus disse em Josué 1:8:

> *Há vida, luz e poder transformador na Palavra de Deus.*

> Este Livro da Lei não deve se afastar da sua boca, mas você deve meditar nele dia e noite, para que você possa observar a agir de acordo com tudo o que nele está escrito. Pois então você fará prosperar o seu caminho, agirá com sabedoria e será bem-sucedido.

Quando essas palavras foram escritas, a única parte da Palavra de Deus que o povo podia ler era o Livro da Lei, que consistia nos cinco primeiros livros do Antigo Testamento. Hoje temos o restante do Antigo Testamento e também o Novo. Se Josué podia agir com sabedoria e ser bem-sucedido tendo conhecimento apenas de parte da Palavra que ele possuía na época, imagine o que podemos fazer com tudo o que temos à nossa disposição!

Faça-se em Mim, Senhor, Segundo a Tua Palavra

Para encontrar um exemplo de uma mãe que foi transformada pelo poder milagroso da Palavra de Deus, tudo que você tem de fazer é ler sobre Maria, a mãe de Jesus. Ela foi radicalmente transformada ao olhar no espelho da Palavra. Ela era apenas uma adolescente normal que vivia uma vida comum quando o anjo Gabriel lhe apareceu e disse:

> ... Ave, ó favorecida [imbuída de graça]! O Senhor é com você! Bem-aventurada (favorecida por Deus) é você perante todas as outras mulheres... porque você encontrou graça (favor gratuito, espontâneo e absoluto e bondade) da parte de Deus. E ouça! Você ficará grávida e dará à luz um Filho, e você lhe dará o nome de Jesus. Ele será grande (eminente) e será chamado Filho do Altíssimo...
>
> Lucas 1:28; 30-32

Aquela Palavra vinda de Deus, por mais maravilhosa que fosse, parecia não se encaixar de modo algum às circunstâncias que cercavam Maria. Ela não era famosa. A Bíblia não dá qualquer indício de que ela tivera algum tipo de experiência espetacular em sua vida que a fizesse sentir-se especialmente favorecida por Deus. E mais, ela era uma virgem. Portanto, Maria tinha todas as razões naturais para dizer a Gabriel: "Sinto muito, senhor Anjo, mas parece que o senhor veio ao endereço errado. Não consigo ver como esta Palavra vinda de Deus possa se aplicar a mim".

Mas não foi assim que Maria reagiu. Em vez de duvidar da Palavra do Senhor, ela creu nela. Ela olhou no espelho de Deus, ajustou a maneira como via a si mesma, e disse: *"Eis aqui a serva do Senhor; faça-se em mim segundo a Sua palavra"* (Lucas 1:38).

Você pode dizer o mesmo ao ler o que a Bíblia diz a seu respeito!

Quando você lê em 1 João 3:9, por exemplo, que *"ninguém que é nascido (gerado) de Deus pratica o pecado [deliberadamente, conscientemente e habitualmente], porque a natureza de Deus permanece nele..."* você pode dizer: "Esta é a verdade sobre mim! A natureza de Deus permanece em mim. Posso ser tão paciente e calma com meus filhos quanto o próprio Jesus é porque a vida dele está em mim. Faça-se em mim, Senhor, segundo a Tua Palavra!"

"Mas Joyce", talvez você diga, "tentei fazer isso e não funcionou. Duas horas depois, as crianças entraram gritando pela casa com os pés cheios de lama e explodi com elas. Simplesmente não consigo mudar!"

É claro que consegue.

Mas para fazer isso você precisa lembrar que ser transformada pela Palavra é um processo. Jesus não disse que se você ler alguns versículos uma ou duas vezes, será totalmente transformada. Ele disse que *"se vocês permanecerem na Minha Palavra, então vocês serão meus discípulos; e vocês conhecerão a verdade e a verdade os libertará"* (João 8:31-32).

Pense novamente sobre o que aconteceu com Maria. A promessa de Deus estava se desenvolvendo dentro dela, porém, do lado de fora, ela por algum tempo continuou exatamente igual. Levou tempo para que a divina Semente dentro dela crescesse e se transformasse em algo que o restante do mundo pudesse ver.

Como mães, deveríamos entender isso melhor do que ninguém. Sabemos em primeira mão como é estar grávida e a barriga ainda não estar aparecendo. Sentimos em nossos próprios corpos a agitação interna invisível de uma vida recém-concebida. Não duvidamos da existência do nosso bebê durante aqueles meses em que ele ainda estava escondido dentro de nós. Não ficamos desanimadas só porque ele ainda não podia ser visto por todos.

Nada disso aconteceu, porque nós simplesmente confiamos no processo. Nós nos alegramos e acreditamos que se déssemos à pequena vida que vivia dentro de nós o que ela necessitava para florescer e crescer, ela finalmente se tornaria um lindo bebê que chuta, sorri e a quem podemos realmente abraçar.

Essa é a atitude que você deve ter para com a semente da Palavra de Deus. Ela tem o poder dele embutido dentro de si. Assim como a semente natural tem a capacidade de reproduzir a vida que está nela, a Palavra de Deus tem a capacidade de reproduzir em você a vida, o caráter e a natureza de Deus. *"Porque a Palavra que Deus diz é viva e cheia de poder [tornando-a criativa, operante, energizante e eficaz]..."* (Hebreus 4:12). A Palavra a capacitará a ser e fazer tudo o que ela diz a seu respeito.

Portanto, não desanime só porque as mudanças não acontecem da noite para o dia. Não fique zangada consigo mesma nem desperdice tempo sentindo-se condenada todas as vezes que cometer um erro. Apenas permaneça firme durante o processo! Continue banhando seu espírito todos os dias com a água da Palavra de Deus. Mantenha seus olhos no espelho de Deus e diga: "Faça-se em mim, Senhor, segundo a Tua Palavra!"

Não demorará muito, e o que está se desenvolvendo dentro de você poderá ser visto também no seu exterior. Cada vez mais, você saberá e será capaz de fazer por sua família exatamente o que Jesus faria.

CAPÍTULO 6

Faça uma Pausa... E Creia

Ser mãe pode ser um dos trabalhos mais exaustivos que existem. Como a maioria das mães, cheguei a essa conclusão assim que meu primeiro bebê nasceu. E com a chegada de cada novo filho, isso se tornava mais claro para mim.

Lembro-me claramente de um período no qual minha filha ainda pequena teve cólicas por semanas. Ela chorava durante a noite inteira, todas as noites ao longo de semanas. Eu precisava tão desesperadamente dormir que telefonei para o médico e dei a ele um ultimato: "Ou você me dá alguma coisa para nocautear esta criança ou você me coloca em um hospício porque *não suporto mais isto!*"

Não tenho dúvidas de que você sabe do que estou falando.

Ainda que já faça muitos anos que você não tem um berço ou uma mamadeira em sua casa, como mãe você ainda enfrenta dias em que se sente esgotada por causa de tudo o que precisa fazer. Dias em que dá tanto de si mesma que você chega a ter a sensação de que não lhe resta mais nada para dar. Dias em que as exigências da maternidade sugam tanto suas forças físicas e emocionais que você sonha em sair de férias. Ir para algum lugar bem longe. Sozinha. Senti vontade de fugir de casa algumas vezes em minha vida, e você provavelmente sentiu o mesmo.

Todas nós temos dias desse tipo — nenhuma mãe está livre deles. Quer sejamos donas de casa ou trabalhemos fora, quer estejamos casadas ou sejamos solteiras, quer nossas contas bancárias sejam gordas ou mirradas, todas nos sentimos esgotadas.

Por definição, estar *esgotado* significa estar "sem força ou resistência, não ter mais vigor ou frescor, ter seus recursos internos esgotados". Significa que você não tem mais prazer no que faz.

Significa também que você está em um território perigoso.

Descobri — e você provavelmente também descobriu — que se eu ficar excessivamente cansada, logo perco o controle das minhas emoções e fico rabugenta. Tomo más decisões. Sinto-me tentada a comer demais e a gastar demais. Sinto pena de mim mesma e tendo a não resistir à tentação. Não é de admirar que a Bíblia diga que o diabo procura "esgotar" os santos (ver Daniel 7:25)! Quando estamos esgotadas, deprimidas, sob pressão, e mal somos capazes de nos arrastar de um lado para o outro, somos uma presa fácil para ele. Portanto, se quisermos ser o tipo de mães que aspiramos ser, não podemos nos dar ao luxo de nos permitir ficar esgotadas. Precisamos garantir que estamos descansadas e renovadas todos os dias.

Férias Permanentes

Quase posso ouvir você rindo agora: "Ah, tudo bem, está certo, Joyce. Vou fazer isso. Todas as vezes que ficar um pouco cansada vou simplesmente sacar um pouco do dinheiro que ganhei na loteria, vou deixar as crianças com Mary Poppins e vou passar alguns dias no Caribe, deitada em uma rede e tomando água de coco!"

Se for isso que está imaginando, eu lhe garanto, não estou sugerindo isso. Entendo que você não pode literalmente tirar férias físicas todas as vezes que fica cansada. Há uma boa chance de que não consiga sequer encontrar tempo para uma soneca. Mas há algo que você pode fazer. Você pode aceitar a oferta que Jesus fez em Mateus 11:28-29:

> *Venham a Mim, todos vocês que trabalham e estão cansados e sobrecarregados e Eu lhes darei descanso. [Eu acalmarei, aliviarei e renovarei as suas almas]. Tomem o Meu jugo sobre vocês e aprendam de Mim, porque Eu sou gentil (manso) e humilde (simples) de coração, e vocês encontrarão descanso (alívio, tranquilidade, renovo, lazer e serenidade abençoada) para as suas almas.*

Pense por um instante nas palavras que Jesus usou nesse versículo. Quando você as lê nessa versão da *Amplified Bible*, elas descrevem perfeitamente o que toda mãe esgotada anseia: *descanso, tranquilidade, lazer e serenidade abençoada*.

Não sei o que vem à sua mente quando ouve essas palavras, mas elas me soam como o tipo perfeito de férias. E é exatamente sobre isso que Jesus está falando aqui. Ele está nos prometendo férias — não para nosso corpo, mas para nossas almas!

> *Imagine viver todos os dias com sua alma em férias.*
>
>

Imagine viver todos os dias com sua alma em férias. Imagine criar seus filhos, administrar sua casa, cuidar dos negócios no escritório e cumprir todas as obrigações da vida, tudo isso experimentando um estado de descanso sobrenatural. Essa é a maneira como Jesus disse que poderíamos viver.

Não estou sugerindo que Ele nos prometeu uma vida sem problemas. Ele não fez isso. Ele disse que nós não temos de deixar que os problemas da vida nos esgotem. Podemos nos ligar a Jesus e deixar que Ele retire o nosso fardo. Pense em dois bois presos um ao outro, um fraco e o outro infinitamente forte. O fraco não precisa se esgotar. Ele não precisa se preocupar com o fato do trabalho ser muito difícil ou do fardo ser pesado demais. Tudo que precisa fazer é manter o ritmo e deixar que a força infinita do seu companheiro de jugo faça por ele tudo o que ele não pode fazer.

Hebreus 4 refere-se a esse estilo de vida como entrar "no descanso" de Deus e diz que essa é a vontade dele para todos nós. Infelizmente, porém, poucos cristãos experimentam esse descanso de forma contínua. Embora tomem o jugo de Jesus sobre eles no momento da salvação, depois que são salvos eles o retiram novamente e se desgastam tentando carregar o fardo da vida sozinhos.

Como mães, nos tornamos vítimas disso com muita frequência. Você sabe o que quero dizer: ficamos preocupadas porque nosso filho não é popular o bastante, então nos esforçamos até a exaustão dando festas e convidando todas as crianças da cidade para nossa casa. Talvez nos preocupemos que nossa filha adolescente se sinta inferior se suas roupas não forem de marca, então gastamos além da conta no cartão de crédito para que ela se vista na moda. Podemos ter medo de que o fato de trabalharmos fora faça nossos filhos se sentirem abandonados, então cedemos a todas as exigências deles e nos recusamos a lhes dizer "não". Ao mesmo tempo, enquanto corremos até chegar à exaustão, o Senhor está dizendo:

Vocês não sabem? Vocês não ouviram? O Deus eterno, o Senhor, o Criador dos confins da terra, não se cansa nem se fatiga; não há como esquadrinhar o Seu entendimento. Ele dá força ao fraco e cansado, e àquele que não tem vigor Ele aumenta as forças [fazendo com que ele multiplique e transborde!]. Até os jovens desmaiam e se cansam, e os moços [escolhidos] tropeçam de fraqueza e caem de exaustos; mas aqueles que esperam pelo Senhor [que têm expectativa nele, procuram por Ele e esperam nele] mudarão e renovação as suas forças e o seu poder; eles erguerão as suas asas e subirão [para perto de Deus] como as águias [sobem rumo ao sol]; eles correrão e não se cansarão, eles andarão e não desmaiarão nem se fatigarão.

Isaías 40:28-31

As Coisas São O que São!

Se você deseja conhecer alguns segredos práticos sobre como viver com sua alma em férias, talvez seja interessante fazer um estudo acerca desses versículos. Eles não apenas nos dizem que não devemos nos cansar. Eles nos dizem especificamente o que podemos fazer para ficarmos sobrenaturalmente descansadas e renovadas.

O versículo 28, por exemplo, nos lembra de que não há como sondar o entendimento de Deus. Ele sabe infinitamente mais do que nós e sempre saberá. Podemos deixar a cargo dele a solução de todos os problemas que não conseguimos resolver e sob o cuidado dele todas as circunstâncias desfavoráveis que somos incapazes de mudar.

Não me importo de admitir que foi difícil para mim aprender a fazer isso. Passei anos perguntando: "Por que, Deus, por quê?" ou "Quando, Deus, quando?" Desperdicei uma quantidade enorme de energia mental e emocional lutando para consertar pessoas e situações que estavam totalmente além do meu controle. Era desgastante! Mas com o tempo passei a entender que não eram exatamente as pessoas e as circunstâncias que estavam sugando minha energia; era a atitude negativa com a qual eu lidava com elas. Geralmente gosto de perguntar: "Seu problema são as circunstâncias ao seu redor, ou sua atitude?" Definitivamente meu problema durante muitos anos era minha atitude.

Essa era a má notícia. Mas então descobri a boa notícia: posso tirar férias dessas atitudes negativas quando quiser. Tudo que tenho de fazer é parar de lutar e de me ressentir com as dificuldades da vida e decidir confiar no Senhor em meio a elas. Tudo que tenho de fazer é adotar a atitude: *As coisas são o que são...* E com a ajuda de Deus posso fazer o que preciso fazer.

Não me entenda mal; não estou dizendo que devemos aceitar passivamente as obras do diabo. Creio que Deus quer que tenhamos uma boa vida cheia de paz e alegria. Ele quer que sejamos abençoadas e que nossas necessidades sejam atendidas. O diabo vem apenas para roubar, matar e destruir e devemos resistir a ele. Deus, porém, não nos redimiu de toda situação desafiadora e de todas as pessoas difíceis. Ao contrário, Ele muitas vezes permite essas coisas e pessoas em nossas vidas, e faz isso apenas com um propósito: usá-las para o nosso bem (ver Romanos 8:28).

A partir do momento em que entendemos isso, podemos viver vidas muito mais renovadas. Nossas almas podem descansar felizes em uma rede de confiança independentemente do que esteja acontecendo ao nosso redor — desde que permaneçamos certas de que Romanos 8:28 é a verdade: "*Todas as coisas cooperam (e se encaixam em um plano) para o bem daqueles que amam a Deus e que são chamados de acordo com o Seu plano e propósito*".

Talvez você diga: "Mas simplesmente não consigo entender como Deus poderia extrair algo de bom dos problemas que estou enfrentando! Gostaria que Ele simplesmente me dissesse o que está fazendo".

Eu entendo você. Sinto o mesmo algumas vezes. Mas descobri que Deus raramente compartilha comigo exatamente o que Ele pretende fazer e como. Ele quer que eu simplesmente confie nele. Deus quer que eu diga (mesmo quando não entendo ou quando a vida parece injusta ou quando estou sofrendo tanto que mal posso suportar): "Senhor, Tu sabes de todas as coisas. Tu já tinhas a solução para esse problema antes mesmo dele aparecer. Embora eu não saiba o que estás fazendo a respeito desse assunto, creio que me amas, e sei que farás algo bom. Por isso não vou me preocupar ou ficar ansiosa. Vou descansar em Ti".

Dois Meninos Muito Inteligentes

Se você alguma vez tiver a sensação de que *não consegue* relaxar e confiar em Deus, pense em Sonya Carson. Ela é uma mãe que começou a vida tendo que superar muitos obstáculos. Nascida em uma família de 24 filhos, ela cresceu em uma atmosfera de pobreza e abuso. Sonya casou-se aos treze anos com um homem muito mais velho, esperando ter uma vida melhor. Mas em vez disso, depois de ter dois filhos, ela descobriu que seu marido tinha outra esposa e outra família. Sem ter nenhuma outra boa opção, Sonya divorciou-se dele e começou a criar seus dois meninos sozinha.

Como uma mulher negra nos anos 60, que havia estudado apenas até a terceira série do Ensino Fundamental, Sonya estava totalmente despreparada para o que a vida havia lhe reservado. Por essa razão, durante os primeiros anos após seu divórcio, ela lutou contra a confusão mental e uma perigosa depressão. Sempre que as coisas ficavam muito difíceis e Sonya tinha a sensação de que não poderia suportar, ela enviava Curtis, de dez anos, e Ben, de oito anos, para ficar com amigos ou vizinhos por algumas semanas. Ela organizava tudo para que os meninos se divertissem tanto enquanto ela estava fora, que eles nunca imaginaram que sua mãe passava aquelas semanas secretamente internada em uma instituição para doentes mentais, tentando se recompor e encontrar uma maneira de fazer o que tinha de fazer.

Felizmente, Sonya Carson era corajosa o bastante e esperta o bastante para pedir ajuda quando precisava — primeiramente a outras pessoas e finalmente a Deus. De modo que não demorou muito para que ela não precisasse mais fazer aquelas viagens secretas. Na verdade, ela se tornou tão forte e tão cheia de esperança que nada podia abalá-la. Nem a escassez de alimentos na despensa. Nem o preconceito racial que seus meninos sofriam na escola. Nem o fato de que ela às vezes trabalhava em três empregos diferentes, passando horas cuidando das casas e das famílias de pessoas ricas em troca de salários mínimos enquanto seus próprios filhos ficavam sozinhos em casa. Nem mesmo as notas baixas que o jovem Ben levava para casa no seu boletim ou sua reputação como o pior aluno da turma de 5º ano na Escola Elementar Higgins conseguiam abalá-la.

Sonya se recusava a permitir que qualquer dessas coisas roubasse sua confiança em Deus. "Tudo vai ficar bem", ela dizia a Curtis e a Ben. Eles acreditavam nisso porque ela mesma acreditava nisso convictamente. E quando eles conversavam com ela sobre suas próprias dificuldades, ela sempre os apontava na direção da Fonte de sua fé. "Vocês devem pedir ao Senhor", ela dizia, "e Ele os ajudará".

Depois de adulto, Ben escreveu acerca de um dia específico no qual a confiança de sua mãe em Deus ajudou a determinar o curso de sua vida. Ele havia ido com ela a um dos muitos cultos da igreja que eles frequentavam. O tema do sermão eram os missionários médicos que trabalhavam no exterior e ajudavam pessoas a viver vidas mais felizes e saudáveis.

— É isto que quero fazer — eu disse à minha mãe enquanto voltávamos para casa. — Quero ser médico. Posso ser um médico, mamãe?

— Bennie — ela disse — ouça-me.

Paramos de andar e mamãe me olhou dentro dos olhos. Então, colocando suas mãos nos meus ombros magros, ela disse:

— Se você pedir algo ao Senhor e acreditar que Ele o fará, então isso acontecerá.

— Creio que posso ser um médico.

— Então, Bennie, você será um médico — ela disse com firmeza, e começamos a andar novamente.[3]

Agindo com fé na capacidade de Deus de ajudar seus filhos a superarem os vários obstáculos que eles encontrariam, Sonya estabelecia um tempo limitado para os meninos assistirem a tevê e exigia que lessem e escrevessem relatórios sobre dois livros por semana. Ela rabiscava os relatórios com um sinal de "aprovado", sem jamais permitir que eles percebessem que ela não podia lê-los. E quando professores pessimistas davam motivos para duvidar das chances de seus filhos terem um futuro brilhante, Sonya continuava dizendo: "Tenho dois meninos inteligentes. Dois meninos muito inteligentes!"

Não é de admirar que as palavras dessa mãe tenham se tornado realidade. Curtis destacou-se nos estudos e tornou-se engenheiro mecânico. Ben formou-se em Yale, conquistou seu diploma de medicina na Universidade de Michigan e tornou-se um dos mais renomados cirurgiões do mundo. Ele é conhecido mundialmente por liderar a equipe cirúrgica que realizou com sucesso uma das operações mais revolucionárias já feitas: a primeira separação de duas gêmeas siamesas unidas pela cabeça.

---

[3] Ben Carson M.D. e Cecil Murphy, *Gifted Hands: The Ben Carson Story* (Mãos Habilidosas: A História de Ben Carson) (Zondervan).

Trave Suas Asas para Cima

Como uma mãe que começou sua trajetória cercada por circunstâncias tão trágicas pôde alcançar um triunfo como esse? Só existe uma explicação. Ela parou de perguntar: "Por que, Deus, por quê?" e escolheu acreditar que Deus faria com que todas as coisas cooperassem para o seu bem. Ela parou de tentar carregar sozinha o fardo que suas circunstâncias representavam e dividiu seu jugo com Jesus. Ela decidiu fazer o que Isaías 40 diz e *esperar no Senhor.*

Quando digo que ela esperou no Senhor, está claro que não estou dizendo que ela ficou sentada sem fazer nada. Esperar no Senhor não é isso. Significa depender dele com fé e expectativa. Significa crer na Sua Palavra e descansar na Sua fidelidade, mesmo quando os ventos da adversidade estão fazendo barulho ao seu redor.

Isaías assemelha isso ao que uma águia faz quando encontra uma tempestade. Em vez de se cansar lutando contra os ventos, ela trava suas asas para cima e deixa que as correntes a ergam cada vez mais alto até que ela esteja acima da tempestade. E ali ela descansa e voa em paz.

Como mães, podemos fazer o mesmo. Quando a turbulência nos esgotar e ameaçar nossa família, podemos travar nossas asas para cima, confiando nas promessas de Deus. Promessas como estas...

Tudo o que vocês pedirem em oração, creiam (confiem e fiquem confiantes) que lhes será concedido, e vocês o receberão.

Marcos 11:24

Todos os seus... filhos serão discípulos [ensinados pelo Se-
nhor e obedientes à Sua vontade], e grande será a paz e a
calma imperturbável dos seus filhos.

Isaías 54:13

Quem ama e obedece ao Senhor e cumpre com alegria os
seus mandamentos tem uma vida cheia de bênçãos e ale-
grias! Sua família será rica e famosa em toda a terra; os
filhos e netos deste homem direito serão abençoados por
Deus.

Salmos 112:1-2, ABV

... nunca vi o justo desamparado, nem seus filhos mendi-
gando o pão.

Salmos 37:25, NVI

No reverente temor do Senhor cheio de adoração há forte
confiança, e Seus filhos sempre terão lugar de refúgio.

Provérbios 14:26

O justo anda na sua integridade; bem-aventurados (felizes,
afortunados e invejáveis) são os seus filhos depois dele.

Provérbios 20:7

Porque o Eterno é seu refúgio, e o Deus altíssimo seu abrigo,
o mal não conseguirá chegar perto de você, a iniquidade não
passará da porta.

Salmos 91:9-10, A Mensagem

O amor do Eterno... é para sempre, acompanha eternamente os que o temem, a ele e aos seus filhos.

Salmos 103:17, A Mensagem

Não quero espiritualizar demais as coisas aqui. Todas as mães passam por momentos em que se sentem fisicamente esgotadas e o que mais precisamos nessas horas é de ajuda natural ou prática. Precisamos de alguém para levar o lixo para fora, ou para lavar a louça, ou para separar a roupa suja. Quando você precisar desse tipo de ajuda, peça. Deixe que seus filhos a ajudem de alguma maneira. Eles podem não fazer as coisas como você faria, mas é melhor ter uma ajuda que não seja a ideal do que ajuda nenhuma.

Por outro lado, quando não for apenas seu corpo, mas a sua alma que estiver esgotada, faça uma pausa espiritual. Passe alguns minutos de férias com Jesus. Pegue sua Bíblia e passe todos os minutos que puder diante do Trono da Graça. Sustente suas asas espirituais para cima com as promessas de Deus e suba até Ele com asas como as de uma águia.

Descanse e voe alto.

CAPÍTULO 7

Nada de Sentir Medo!

Se você me perguntar qual a chave mais importante para a longevidade, eu diria que é evitar a preocupação... E se não me perguntasse, eu ainda teria de dizê-lo.

— George Burns

De todas as mentiras nas quais o diabo fez as mães cristãs acreditarem ao longo dos anos, uma das mais prejudiciais é esta: *todas as mães se preocupam com seus filhos.*

Na mente de muitas mães, essa mentira é um fato indiscutível. Elas aceitam a preocupação não apenas como algo inevitável quando se tem filhos, mas quase como uma virtude. Leia alguns artigos e poemas sobre a maternidade e você entenderá rapidamente por quê. Muitos realmente enaltecem a ideia de que o amor de uma mãe produz um estado constante de ansiedade. Como diz um poema escrito em louvor da mãe eternamente preocupada:

"A preocupação de uma mãe nunca termina.
Ela apenas evolui, cresce e começa de novo."

Por favor, não acredite nisso. Nada disso está escrito na Bíblia. Muito pelo contrário, a Bíblia nos diz mais de trezentas vezes: *"Não temas!"* — isso representa quase uma vez para cada dia do ano. E em lugar algum na Bíblia há uma nota de rodapé dizendo: *No caso das mães, esta ordem não se aplica.*

Como mães, porém, costumamos agir como se essas notas de rodapé existissem aos milhares. Pensamos: *Bem, Deus sabe que como mães nos importamos tanto com nossos filhos que não podemos evitar temer por eles. Então quando nos preocupamos, Ele entende.*

Jesus nunca nos diz para nos preocuparmos, nem aprova nossa preocupação. Um pai que pode confirmar esse fato é Jairo. Ele foi até Jesus para pedir socorro quando estava em meio a uma das piores crises que qualquer pai pode enfrentar: sua filhinha estava morrendo. O estado de saúde da menina era tão crítico e ele estava tão desesperado por ajuda que se atirou ao chão aos pés de Jesus e implorou-lhe veementemente, dizendo: *"... Vem e impõe as Tuas mãos sobre ela, para que ela possa ser curada, e ela viverá"* (Marcos 5:23).

Se você já leu a história, sabe o que aconteceu em seguida. Jesus respondeu às palavras de fé de Jairo e dirigiu-se diretamente à sua casa. Mas antes de chegar lá, eles foram surpreendidos por uma interrupção no caminho. Uma mulher que havia estado enferma por doze anos abriu caminho penosamente através da multidão que estava seguindo Jesus, tocou a orla de Suas vestes e foi curada instantaneamente.

E Jesus, reconhecendo em si mesmo que o poder que procedia dele havia saído, voltou-se imediatamente na multidão e disse: Quem tocou as Minhas vestes? E os discípulos ficavam lhe dizendo: Vês, a multidão Te aperta de todos os lados, e Tu perguntas 'Quem Me tocou?' Ainda assim Ele continuava olhando ao redor para ver quem havia feito aquilo. Mas a mulher, sabendo o que havia sido feito por ela... prostrou-se diante dele e lhe disse toda a verdade (vv. 30-33).

A Bíblia não diz quanto tempo levou até essa mulher dizer a Jesus "toda a verdade". Mas se era como a maioria das mulheres que conheço, ela deve ter levado um bom tempo para descrever doze anos de enfermidade. Enquanto isso, Jairo estava de pé ali pensando: *Moça, minha filha está a ponto de morrer! Cada segundo conta! Por favor... Por favooooooor... Apresse-se!*

Apesar da demora, Jairo aparentemente conseguiu manter sua fé... Pelo menos até as coisas piorarem. Algumas pessoas vieram correndo de sua casa e lhe disseram: "*Tua filha morreu. Por que se importar e incomodar mais o Mestre?*" (v. 35). Se o assunto é ter motivos para se preocupar — Jairo definitivamente tinha um! Ele havia acabado de receber a pior notícia que se pode imaginar. Mas Jesus, ouvindo o relato por alto, disse com clareza e convicção...

Não se deixe alarmar nem tomar pelo medo; apenas continue crendo.

Versículo 36

Por que Jesus deu a Jairo instruções que aparentemente não correspondiam à realidade? Por que era tão importante para Ele que Jairo se recusasse a temer naquele momento crucial de sua vida?

Porque Jesus sabia o que a maioria das pessoas (até mesmo a maioria dos cristãos) não sabe: que assim como a fé nos conecta ao plano de Deus para as nossas vidas, o medo pode nos desconectar dele e nos conectar aos planos do diabo.

Jó 3:25 diz: *"Porque aquilo que temo grandemente vem sobre mim, e aquilo de que tenho medo me sucede"*. Jesus não queria que aquilo acontecesse com Jairo. Ele não queria que a porta que a fé de Jairo havia aberto para Ele operar um milagre na vida de sua filha fosse brutalmente fechada pelo medo.

A história estava prestes a tomar outro rumo. Mas graças à fé de Jairo e ao poder de Jesus, as coisas não seguiram esse caminho! A filha de Jairo foi curada porque seu pai escolheu a fé e não o medo. Ele provou que mesmo quando as emoções de um pai estão à flor da pele, ele pode escolher obedecer a Jesus. Podemos manter a porta aberta para o melhor de Deus para nossos filhos escolhendo crer e não temer!

Não Tome o Veneno

Antes que fique excessivamente alarmada com o poder do medo (e acrescente o medo à sua lista de coisas com as quais se preocupar), deixe-me garantir-lhe que a Bíblia não ensina que cada pequeno medo que você já sentiu acerca dos seus filhos vai se tornar realidade. Isso não é verdade. Embora o diabo realmente trabalhe por meio do medo de forma muito semelhante ao modo como Deus trabalha por meio da fé, o diabo não é nem de longe tão poderoso quanto Deus. É por isso que ele só foi capaz de trazer sobre Jó as coisas que ele temia "grandemente".

Embora as pequenas preocupações não sejam grandes medos, elas abrem a porta para o medo em sua vida. Você provavelmente já sabe disso por experiência própria, mas deixe-me apenas lembrar-lhe alguns dos efeitos que a preocupação pode ter sobre sua vida. Ela pode:

- Manter você aflito em relação ao dia de amanhã e roubar sua alegria hoje.
- Sugar seu entusiasmo pela vida e obscurecer seus dias com... *pensamentos ansiosos e maus pressentimentos* (ver Provérbios 15:15).
- Desperdiçar seu tempo. (A preocupação já a ajudou de alguma maneira? Não!) *"Qual de vocês preocupando-se e ficando ansioso pode acrescentar uma unidade de medida de comprimento (cúbito) à sua estatura ou à duração de sua vida?"* (Mateus 6:27).
- Fazer você adoecer. (Os médicos afirmam que pelo menos 51 doenças podem estar diretamente ligadas à preocupação e ao estresse!)

- Torturar você mental e emocionalmente. (Uma das definições de preocupação é "atormentar-se com pensamentos perturbadores"!)

Acima e além de tudo isso, preocupar-se é desobedecer à ordem de Deus. Fazer isso significa cometer um pecado. Então obviamente, para ser uma mãe confiante, você precisa quebrar o hábito da preocupação!

Você talvez esteja pensando: *Mas algumas das preocupações que tenho com relação aos meus filhos são muito reais. Não posso simplesmente ignorá-las.*

É claro que não pode. Mas, em vez de torturar-se com a preocupação, o que você pode fazer é seguir as instruções de Filipenses 4:6-8:

> *Não se preocupem nem fiquem ansiosos por coisa alguma, mas em todas as circunstâncias e em tudo, pela oração e pela petição (pedidos específicos), com ações de graças, continuem a tornar os seus desejos conhecidos por Deus. E a paz de Deus... que excede todo entendimento, guarnecerá e montará guarda sobre os seus corações e mentes em Cristo Jesus. Quanto ao resto... tudo que é verdadeiro... tudo que é bondoso, e agradável e gracioso, se alguma virtude e alguma excelência há, se há algo digno de louvor, pensem nessas coisas, ponderem nelas e contem com elas [fixem suas mentes nelas].*

Você observou a última frase? Ela diz que podemos fixar nossa mente na Palavra de Deus em vez de fixá-la nas nossas preocupações. Podemos repetir e confessar continuamente as promessas de Deus sobre nossas vidas e sobre as vidas de nossos filhos. Esse é o significado da palavra medita-ção! As pessoas costumam me dizer que não sabem como meditar na Palavra. Mas elas estão enganadas. Todos nós sabemos como meditar na Palavra de Deus porque fazemos o exato oposto! Damos ouvidos à preocupação e à ansiedade e meditamos nelas até acreditarmos que são reais, então as declaramos e agimos com base nelas.

Fiz isso durante anos sem sequer perceber. Antes de começar a estudar a Palavra, nunca me ocorreu que o inimi-go poderia estar por trás dos meus pensamentos negativos. Presumia que eu mesma os gerava, de modo que simples-mente pensava sobre tudo o que me vinha à mente. Se me ocorresse que devia me preocupar com alguma coisa, eu simplesmente pensava: *É, esta situação pode acabar muito mal! É mesmo, ela pode arruinar toda a minha vida!* E lá ia eu, deixar meus pensamentos vagarem nessa direção. Naquela época, eu não conseguia perceber que o diabo tinha o poder de sugestionar coisas, que ele realmente envia pensamentos que passam pela nossa mente como um relâmpago, para que nós os aceitemos e meditemos neles.

Mas finalmente, estudando a Palavra, descobri algo! Entendi que pensamentos de medo são como o veneno do diabo. Ele sempre vai nos oferecer esse veneno. Mas só porque ele oferece não significa que temos de tomá-lo. Em vez disso, podemos fazer o que 2 Timóteo 2:23 nos diz: "*Recuse (feche a sua mente contra, não tenha nada a ver com)*

as controvérsias insignificantes (mal informadas, não edifican-
tes, insensatas)..." Podemos dizer: "Não! Não vou me preocupar. Vou escolher meditar na Palavra de Deus e crer nas
Suas promessas".

Na verdade, serei um pouco mais veemente: nós não
apenas *podemos* dizer essas coisas, como *devemos* dizê-las.
Por quê? Porque é impossível pensar uma coisa e dizer outra
ao mesmo tempo. Assim, a melhor maneira que existe de
livrar-se dos pensamentos que nos preocupam é abrindo
nossas bocas e declarando a Palavra.

"Mas eu me sinto idiota falando comigo mesma!"

Sim, a princípio você provavelmente vai se sentir assim.
Sei disso porque aconteceu comigo. Mas decidi que preferia
me *sentir* um pouco tola a viver derrotada e desesperada.
Então deixei de lado meu orgulho e comecei a declarar a
Palavra de Deus em voz alta sobre minha vida inúmeras
vezes por dia.

Às vezes eu tinha até mesmo de me convencer a não
me preocupar enquanto estava me preparando para pregar
sobre — entre todas as coisas possíveis — não se preocupar!
Lembro-me de uma ocasião em particular em que algo estava me incomodando muito. E por alguma razão, comecei a
ficar ansiosa e angustiada, e no instante em que percebi isso,
abri minha boca e agi com base em Filipenses 4:6, declarando: "Senhor, não há absolutamente nada que eu possa fazer
sobre esta situação. Então a coloco nas Tuas mãos agora. Eu
Te peço para cuidar dela, e Te agradeço antecipadamente
por fazer isso". Então cantei louvores ao Senhor até conseguir subir à plataforma sem me preocupar.

Aja pela Fé e Seus Sentimentos a Acompanharão

No dia a dia, a maioria dos medos que as mães precisam vencer são relativamente pequenos. Eles envolvem coisas como treinar os filhos para saírem das fraldas, lidar com pirraças, más notas na escola e a puberdade. Quando realmente temos de lidar com preocupações maiores, porém, é importante lembrarmos que as mesmas declarações de fé que usamos para derrotar a menor das preocupações podem ser usadas para cortar as cabeças dos gigantes da preocupação também.

Davi provou isso na batalha que travou contra Golias.

Essa batalha, embora a maioria das pessoas não perceba, foi em primeiro lugar uma guerra travada através de palavras. Golias a iniciou dizendo coisas destinadas a aterrorizar todo o exército israelita e por fim aterrorizar Davi. Coisas do tipo: "Venha a mim, e eu darei a tua carne aos pássaros do céu e às feras da terra" (1 Samuel 17:44). (Não soa como algo intimidador?)

As palavras de Golias fizeram todos tremer na base, mas Davi recusou-se a ter medo. Em vez disso, ele ergueu a voz e contra-atacou:

Você vem a mim com espada, lança e dardo, mas eu venho a você em nome do Senhor dos Exércitos, o Deus das fileiras de Israel, a quem você desafiou. Neste dia o Senhor o entregará na minha mão, e eu o esmagarei e cortarei a sua cabeça. E eu darei os corpos do exército dos filisteus neste dia aos pássaros do céu e às feras da terra, para que toda a terra saiba que há um Deus em Israel. E toda esta assembleia saberá que o SENHOR *não salva com espada ou lança; porque a batalha é do* SENHOR, *e Ele o entregará nas nossas mãos.*

1 Samuel 17:45-47

O diabo odeia esse tipo de conversa. Quer ela venha de um menino pastor israelita ou de uma mãe cristã, ele odeia quando os crentes começam a brandir verbalmente a "espada do Espírito", que é a Palavra de Deus. E, considerando o fim que Golias teve, é fácil entender por quê.

Até mesmo uma única frase cheia de fé pode derrotar completamente um plano maligno arquitetado pelo diabo.

Uma mãe que conheço demonstrou isso de uma forma dramática. Há alguns anos no Dia de Natal, sua filha de onze anos adoeceu de um tipo grave de meningite que colocou sua vida em risco. Ela e seu marido correram com a menina para o hospital, sendo informados pelos médicos de que uma epidemia daquela doença havia se alastrado pela região. Várias crianças já haviam morrido. "O caso da sua filha é o pior que vimos até agora", disse o médico.

Para aquela mãe, esse foi o momento de Jairo dela. Mas ela estava pronta.

Sendo filha de um ministro do Evangelho e tendo crescido em uma família forte na fé, ela sabia que a cura havia sido comprada para ela e seus filhos através do plano redentor de Deus. Ela sabia e cria que pelas pisaduras (que feriram Jesus) fomos sarados e tornados sãos (ver Isaías 53:5). Então, quando sua irmã — que também era uma mãe que cria totalmente na Bíblia — entrou pelas portas da sala de emergência, ela aproveitou a oportunidade para fazer sua declaração. Ela cerrou os dentes, posicionando-se contra as emoções que a atacavam, olhou sua irmã nos olhos e disse:

"EU... NÃO... TEMEREI!"

Observe, ela não disse que não estava *sentindo* medo. Na verdade, ela não disse absolutamente nada sobre como se sentia porque as emoções não têm de ditar nossas decisões.

> *Só porque sentimos medo isso não significa que temos de ter medo.*

Só porque sentimos medo isso não significa que temos de ter medo. Podemos nos posicionar pela fé na Palavra de Deus e rejeitar o medo recusando-nos a declará-lo ou a agir com base nele. Se fizermos isso, nossos sentimentos eventualmente acompanharão a nossa decisão.

Não sei quanto tempo levou para os sentimentos dessa mãe acompanharem suas palavras. Talvez tenha acontecido em minutos. Ou talvez ela tenha precisado dominar suas emoções durante as horas em que ela e sua família continuaram a orar sobre a situação e declarar a Palavra de Deus. Mas de uma forma ou outra, estou certa de que ela estava muito bem emocionalmente no dia seguinte porque sua filha, que estava incapacitada de falar por horas, sentou-se na cama e gritou para o avô que estava sentado ao lado de sua cama de hospital, declarando a Palavra de Deus:

"Vovô, estou curada em nome de Jesus!"

Não é impressionante? Essa garotinha, tão jovem e doente, seguiu perfeitamente o exemplo de sua mãe! Não o exemplo que foi dado algumas horas antes na sala de espera da emergência — a filha não estava ali para testemunhar isso — mas o exemplo que ela viu por toda a sua vida ao observar sua mãe escolher a fé em vez do medo.

Eu já disse isto, mas vou dizer novamente: tudo o que você faz repetidamente é o que seus filhos aprenderão a fazer.

> *Tudo o que você faz repetidamente é o que seus filhos aprenderão a fazer.*

Se você cede constantemente à preocupação, eles tenderão a se sentir atormentados por pensamentos perturbadores. Se você escolhe crer e declarar a Palavra de Deus e dar um exemplo destemido, eles serão propensos a desfrutar a vida, brandir a espada da Palavra de Deus e vencer suas batalhas.

Foi o que aconteceu nessa situação. As primeiras palavras de fé da mãe foram como a primeira pedra que derrubou Golias. As palavras da filha se tornaram a espada que cortou a cabeça dele. Uma vez tendo dito essas palavras, ela imediatamente começou a melhorar. A vitória foi conquistada.

Sim, Você Pode!

Se você tem sido alguém cheio de preocupações por anos, deve estar se perguntando agora mesmo se algum dia conseguirá agir de modo diferente. Talvez não acredite ser sequer possível para você dizer, como a mãe da história, "Não temerei!"

Mas eu lhe garanto que é.

Como posso ter tanta certeza? Porque Deus jamais nos diria para fazer alguma coisa sem nos dar a capacidade para fazê-la. Então o próprio fato de que na Bíblia Ele nos instruiu a não temer e a não nos preocuparmos prova que Deus nos deu o poder para fazer isso.

E ainda há mais! A Bíblia nos diz em 1 João 4:17 que assim como Jesus é, *assim somos nós neste mundo*. Isso significa que não temos de esperar até morrermos e irmos para o céu para sermos como Ele. Podemos viver como Ele aqui e agora. Deixe-me fazer uma pergunta: você acha que Jesus tem medo neste instante? Você acha que Ele está contorcendo as mãos de nervoso e preocupado ao ver o quanto este mundo se tornou escuro e perigoso? Você acha que Ele está preocupado, imaginando se pode ou não lidar com isso?

É claro que não!

Jesus não está preocupado. Ele está cheio de paz. E se Jesus tem paz, nós podemos ter paz também. Como Ele disse em João 14:27:

Deixo-lhes a paz; a Minha [própria] paz agora eu lhes dou e concedo. Não a dou como o mundo a dá. Não permitam que o seu coração se perturbe, nem se atemorize. [Parem de se permitir ficar agitados e perturbados; e não se permitam ficar temerosos e intimidados, acovardados e inquietos].

A paz do próprio Jesus está disponível para você 24 horas por dia, sete dias por semana. Portanto, faça a escolha que Jairo fez e lembre-se de entregar todas as suas preocupações e cuidados a Deus, porque Ele cuida de você (ver 1 Pedro 5:7).

Não tema. Creia somente.

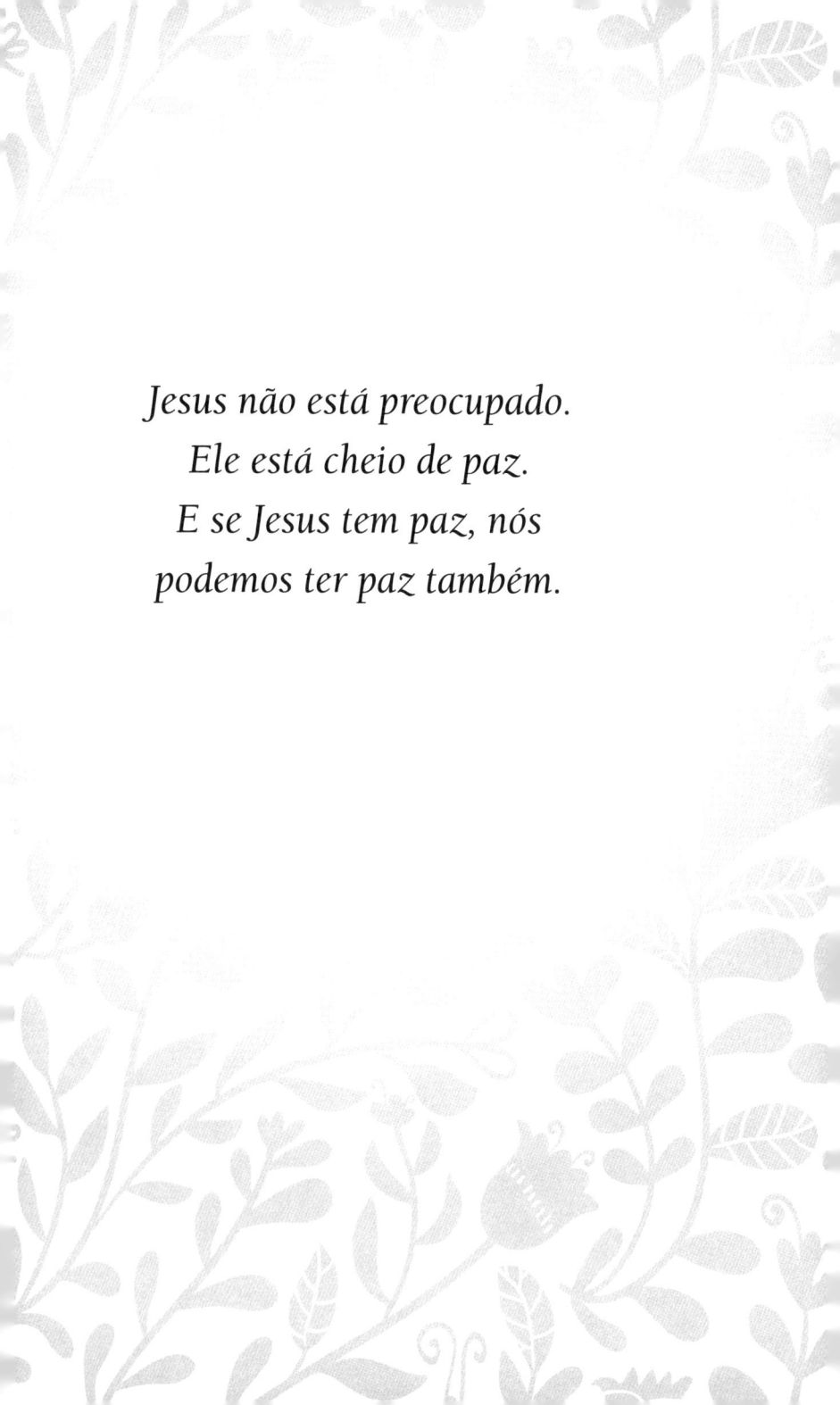

Jesus não está preocupado.
Ele está cheio de paz.
E se Jesus tem paz, nós
podemos ter paz também.

CAPÍTULO 8

Será que Alguém Pode, Por Favor, me Ajudar?

Criar uma família seria muito mais fácil se Deus tivesse dado às mães uma estratégia do tipo "tamanho único" para criar filhos. Isso tornaria a maternidade muito mais conveniente. Nunca teríamos de repensar posteriormente nossas escolhas como mães. Nunca teríamos de ficar rolando na cama à noite nos perguntando se fomos rígidas demais ou permissivas demais. Nunca passaríamos por momentos em que teríamos vontade de arrancar os cabelos porque simplesmente *não conseguimos entender esta criança!*

Em vez disso, poderíamos simplesmente comprar um manual, seguir as instruções passo a passo e — pronto! — magicamente tudo sairia exatamente como Deus pretendeu que fosse.

Ah, como tudo seria simples!

Infelizmente, não é assim que as coisas realmente funcionam. Embora Deus tenha dado às mães diretrizes gerais e verdades bíblicas imutáveis que podem indicar a todas nós a direção certa, cada criança é um exemplar único e precisa de cuidados e treinamento especializados. Cada uma tem uma combinação exclusiva de personalidade, talentos e inclinações. Cada uma delas precisa passar por um conjunto de experiências distintas. E cada uma tem seu próprio chamado dado por Deus. Como mães, devemos levar todas essas coisas em conta e criar cada um dos nossos filhos de uma maneira que os ajude a se tornarem a pessoa que Deus os criou para ser.

Isso é o que chamo de *Missão Impossível!* Não é de admirar que tantas mães andem por aí com este grito em seu coração: *Será que alguém pode, por favor, me ajudar?*

Essa é uma pergunta que as mães têm feito de uma forma ou outra por milhares de anos. E é uma pergunta que foi respondida por Deus. Ao longo da Bíblia, Ele demonstrou por vezes seguidas que quando as mães precisam de um plano exclusivo para um filho exclusivo em uma situação exclusiva, Deus pode ajudar como ninguém.

> Ao longo da Bíblia, Ele demonstrou por vezes seguidas que quando as mães precisam de um plano exclusivo para um filho exclusivo em uma situação exclusiva, Deus pode ajudar como ninguém.

Veja, por exemplo, o plano de desenvolvimento de filhos que Ele criou para Joquebede. Ela era mãe de Moisés e, como você provavelmente se lembra, Joquebede enfrentou uma situação extremamente inusitada e desesperadora. Seu bebezinho estava divinamente destinado à grandeza. Ele foi escolhido por Deus para ser o libertador de uma nação e alguém que transformaria o mundo. Mas como um hebreu do sexo masculino no Egito, ele já nasceu tendo de enfrentar uma sentença de morte. De acordo com o edito de Faraó, qualquer pessoa que o visse era legalmente obrigada a matá-lo na hora!

A missão de Joquebede era manter seu filho vivo... Não havia ninguém na terra que pudesse dizer-lhe como fazer isso. Nem amigos a quem pudesse recorrer. Nem livros que pudesse ler. Nem telefones de emergência para os quais ela pudesse ligar.

Então, o que ela fez?

Durante os três primeiros meses de vida de seu bebê, ela o escondeu do mundo e refletiu acerca de sua difícil situação. Como descendente de Abraão, ela deve também ter se voltado para Deus em busca de ajuda. Quando ela o fez, um plano começou a surgir na sua mente — um plano que nunca havia sido colocado em prática antes e nunca mais voltaria a ser.

... Ela tomou uma cesta feita de juncos de papiro e calafetou-a com piche e betume. Ela pôs o bebê na cesta e colocou-o entre os juncos ao longo da margem do Rio Nilo. A irmã do bebê então ficou à distância, observando para ver o que lhe aconteceria.

Êxodo 2:3-4

Para a maioria de nós, a ideia do bebê Moisés flutuando em uma cesta traz de volta lembranças das aulas da Escola Dominical e personagens recortados presos em flanelógrafos. Mas para Joquebede, essa não era uma história da Bíblia. Era sua vida. Aquele era o seu bebê! E ela não estava apenas colocando-o em uma piscina dentro de um bote de borracha com boias nos braços. Ela o estava lançando aos perigos do Nilo. Ela estava enviando seu bebê desprotegido à deriva, sozinho, em águas nas quais hipopótamos se enlameavam em uma margem e a filha de Faraó se banhava na outra, sem ter ideia de qual dos dois seria mais mortal.

Você pode imaginar Joquebede tentando explicar essa estratégia de sobrevivência às outras mães da vizinhança? Teria soado absurdo. "Você não pode estar falando sério!" elas teriam dito. "Por que você não deixou o pobrezinho morrer rapidamente nas mãos dos soldados de Faraó? Não seria isso melhor do que colocá-lo ali para se afogar ou para ser devorado por um animal selvagem?"

Felizmente, Joquebede nunca teve de enfrentar tais consequências. Seu plano — porque era o plano de Deus — teve êxito antes que alguém o descobrisse. Seu garotinho não apenas sobreviveu, como também teve a oportunidade de crescer na corte do Faraó. Educado e cercado pelo melhor do Egito. Ele teve todo o treinamento que necessitava para alcançar o futuro para o qual Deus o havia destinado em Sua mente.

E o melhor de tudo, pelo menos sob o ponto de vista de Joquebede: ela pôde ir com ele para o palácio e ser sua babá... E a *Missão Impossível* se tornou *Missão Cumprida!*

O Espírito Santo: Seu Maior Auxiliador

Talvez você diga: "Mas aquela era a mãe de Moisés! Ela é uma celebridade bíblica. Sou apenas uma mãe comum. Não posso esperar que Deus me ajude como Ele a ajudou".

Por que não? Jesus disse que o menor de nós que nascemos de novo no Reino de Deus é maior que o maior profeta do Antigo Testamento que já viveu (ver Mateus 11:11). Portanto, qualquer coisa que Deus faria por Joquebede ou por qualquer outra mãe da Bíblia, Ele fará por você.

Ele também pode agir de modo diferente do que Ele agiu em relação às mães do Antigo Testamento. Por ser um crente nascido de novo do Novo Testamento, você não precisa que um anjo apareça do céu e lhe traga uma mensagem. Não precisa ouvir uma voz trovejando instruções para você do céu. Não precisa ver uma mão desenhando uma escrita na parede. Você tem o Espírito Santo vivendo dentro de você para conduzi-la e para falar com você em todo o tempo.

O Espírito Santo é o maior Auxiliador que você, como mãe, poderia ter!

Ele não apenas entende as personalidades e dons dos seus filhos, como Ele sabe o que Deus ordenou que eles sejam e façam. Ele sabe que tipo de encorajamento eles precisam receber e a que estilo de disciplina eles responderão. Ele pode alertá-la quando eles estiverem prestes a ter problemas e lhe mostrar como lidar com isso. Quando você cometer erros, Ele pode lhe mostrar como consertar as coisas novamente. O Espírito de Deus lhe dirá tudo que você precisa saber. Ele lhe dará sabedoria divina para cada situação que você enfrenta, 24 horas por dia, sete dias por semana.

Sabemos que isso é verdade porque Jesus nos disse que é. Jesus prometeu que após Sua crucificação e ressurreição, o Espírito Santo viria e permaneceria conosco para sempre. Ele disse: *"Não vos deixarei órfãos, [sem consolo, desolados, enlutados, abandonados, desamparados]. Mas o Consolador (Conselheiro, Auxiliador, Intercessor, Advogado, Fortalecedor, Substituto), o Espírito Santo, a quem o Pai enviará em Meu nome [em Meu lugar para me representar e para agir em Meu nome]"*, Ele:

- Ensinará a vocês todas as coisas.
- Fará vocês lembrarem... tudo o que Eu lhes disse.
- Estará em íntima comunhão com vocês.
- Guiará vocês a toda a Verdade (a Verdade integral, plena) (João 14:18, 26; 16:7. 13).

Está claro que se Jesus disse que o Espírito Santo fará todas essas coisas por nós, Ele o fará!

Então por que muitas vezes parece que tantos crentes estão se debatendo por aí sozinhos? Por que não nos beneficiamos mais do ministério desse Auxiliador que nos foi dado?

Em geral é porque procuramos outras pessoas em busca de respostas em vez de corrermos para Deus. Essa é uma coisa estranha para se fazer, já que as outras pessoas sabem muito pouco e o Senhor sabe tudo, mas tendemos a fazer isso mesmo assim por uma razão primordial: não confiamos que podemos realmente ouvir a voz do Senhor e discernir Sua sabedoria e direção, ou em alguns casos nem sequer sabemos que essa é uma opção.

Esse é um grande problema para muitos cristãos! Mas se você está entre aqueles que enfrentam dificuldades nessa área, há uma solução. Você pode fortalecer sua confiança em sua conexão divina com o Espírito Santo concentrando-se no que a Bíblia diz em versículos como estes:

Jesus disse: *"As ovelhas que me pertencem ouvem e estão ouvindo a Minha voz; e Eu as conheço, e elas me seguem"* (João 10:27). Portanto, posso discernir a direção do Senhor. Posso segui-lo!

"O Espírito da Verdade, que o mundo não pode receber (dar as boas-vindas, tomar em seu coração), porque não o vê ou o conhece e reconhece. Mas vocês o conhecem e o reconhecem, porque Ele vive com vocês [constantemente] e estará em vocês" (João 14:17). Posso conhecer e reconhecer o Espírito de Deus porque Ele vive em mim!

"Porque todos os que são guiados pelo Espírito de Deus são filhos de Deus" (Romanos 8:14). Sou um filho de Deus, portanto sou guiado pelo Espírito!

Porque o Espírito lhes ensina tudo o que vocês precisam saber, e o que Ele ensina é verdade — não é mentira. Portanto assim como ele lhes ensinou, permaneçam em comunhão com Cristo (1 João 2:27). O Espírito Santo me ensinará o que é verdadeiro!

Quando meditar nesses versículos da Bíblia e fizer confissões de fé, seu relacionamento com Seu divino Auxiliador se aprofundará. Você desenvolverá sua fé na verdade segundo a qual, como crente, você está perfeitamente equipada com tudo o que precisa para ouvir de Deus, e depois responder em obediência às Suas instruções.

Não se Esqueça de Pedir

Outra chave para aproveitar toda sabedoria que Deus tem a oferecer a você e a seus filhos é esta: lembre-se de pedi-la a Deus, esperando que Ele responda. Às vezes, em meio aos afazeres diários, nos esquecemos de fazer isso. No entanto, é algo tão importante que a Bíblia seguidamente nos encoraja dizendo:

> *Se algum de vocês tem falta de sabedoria, peça-a a Deus, que a todos dá livremente, de boa vontade; e lhe será concedida. Peça-a, porém, com fé, sem duvidar, pois aquele que duvida é semelhante à onda do mar, levada e agitada pelo vento.*
>
> Tiago 1:5-6, NVI

> *Peçam e continuem pedindo e lhes será dado; busquem e continuem buscando e vocês encontrarão; batam e conti-*

nuem batendo, e a porta lhes será aberta. Se vocês... dão bons presentes [presentes que são para o bem deles] aos seus filhos, quanto mais não dará o seu Pai celestial o Espírito Santo àqueles que pedirem e continuarem a pedir!

Lucas 11:9, 13

Se você clamar por discernimento e erguer a sua voz por entendimento, se você buscar [a Sabedoria] como a prata e buscar a Sabedoria experiente de Deus como um tesouro escondido, então você entenderá o temor do SENHOR, *reverente e cheio de adoração, e encontrará o conhecimento de [nosso] Deus [onisciente].*

Provérbios 2:3-5

Não é muito simples? Simplesmente peça sabedoria e confie em Deus para dá-la a você! Se não ouvir imediatamente a voz de Deus após orar, continue crendo nele e olhando para dentro do seu coração para ver o que Deus está lhe mostrando. A resposta sempre virá.

Naturalmente, uma vez que você a receba, para desfrutar seus benefícios você precisa "abraçá-la" (ver Provérbios 4:8). Nem sempre isso é algo fácil de fazer porque às vezes a sabedoria de Deus requer que você saia da sua zona de conforto. Embora você, como uma mãe cristã, provavelmente nunca precise ir tão longe quanto Joquebede, ser guiada pelo Espírito Santo pode desafiá-la a fazer escolhas para seus filhos que outros poderão não entender ou até mesmo criticar.

Lembro-me de uma vez em particular em que passei por essa situação. Nessa época, nosso filho Danny estava no ensino fundamental. Praticamente desde o momento de seu nascimento, planejei que ele frequentasse uma escola cristã. Minha filha havia frequentado uma escola cristã por anos e havia se saído muito bem. Então, quando Danny teve idade suficiente, ele também começou a frequentar a mesma escola. Presumi que isso seria o melhor.

Ele acabou em uma turma na qual alguns dos alunos começaram a implicar com ele. Essa circunstância teve impacto sobre seu desempenho escolar, e Danny começou a não acompanhar a turma academicamente falando. As professoras continuavam aprovando-o mesmo assim e ele continuava passando de uma série para a outra, mas ele estava tendo tantas dificuldades que sabíamos que teríamos de fazer alguma alteração. Chegamos a contratar professores particulares para ajudá-lo e fizemos tudo o mais que podíamos imaginar, mas nada funcionava. O sistema daquela escola em particular era bastante rígido, e ele tinha uma personalidade muito resistente a regras e regulamentos duros. Ele estava constantemente criando problemas, e isso só servia para fazer com que ele tivesse pavor até mesmo da ideia de ir para a escola.

Como você pode imaginar, busquei muito a Deus à procura de sabedoria acerca da situação. Depois de orar a respeito por algum tempo, Ele me deu a resposta. Não foi a resposta que eu queria ouvir. Ele conduziu Dave e eu a transferirmos nosso filho para a escola pública do outro lado da rua da nossa casa.

Essa não teria sido a minha escolha, mas era o que Deus estava nos direcionando a fazer. Só posso dizer a você que esse não era meu plano, portanto levei algum tempo para abraçar essa ideia por duas razões. Primeiro, era algo contrário às minhas próprias opiniões. Em segundo lugar, estava preocupada com o que meu pastor e as outras pessoas poderiam pensar a meu respeito. Com o passar do tempo, porém, decidi obedecer à direção do Espírito Santo e matriculei Danny na escola pública. A escola tinha algumas ideias inovadoras sobre educação que incluíam não esperar que todas as crianças aprendessem exatamente da mesma maneira, e isso era exatamente o que era necessário na nossa situação. Nosso filho era e é muito inteligente, mas ele aprendia muito mais depressa com uma abordagem envolvendo uma participação ativa, do que apenas através dos livros.

No primeiro dia em que o levei à nova escola, chorei. Minha sensação era de que eu havia, de algum modo, fracassado como mãe cristã. Mas o mais surpreendente foi que naquele lugar ele floresceu. Ele tirava boas notas. Embora ele ainda tivesse algumas dificuldades, as coisas estavam pelo menos 75% melhores. Por fim, ele voltou a estudar em casa porque isso lhe permitia viajar conosco, mas o ponto que quero provar é que às vezes o Espírito Santo irá nos direcionar a fazer coisas que não escolheríamos normalmente. Algumas de vocês mães que estão tendo dificuldades com um filho na escola talvez se sintam encorajadas ao saber que Danny hoje é o presidente executivo do Ministério Joyce Meyer e faz um trabalho excepcional. Confie em mim quando lhe digo que até uma criança que tem dificuldades com a educação institucionalizada pode realizar grandes coisas na vida.

Agora entendo que em se tratando de educar nossos filhos — como em todas as outras áreas da vida — a melhor coisa que nós mães podemos fazer é buscar a sabedoria do Espírito Santo e obedecer a Ele. Pode ser diferente do que imaginávamos, e pode ser diferente do que as outras pessoas estão fazendo, mas Deus tem um plano e podemos confiar na direção dele. Afinal, Ele sabe muito mais sobre nossos filhos do que nós jamais saberemos.

Ele é realmente o maior Auxiliador que uma mãe pode ter!

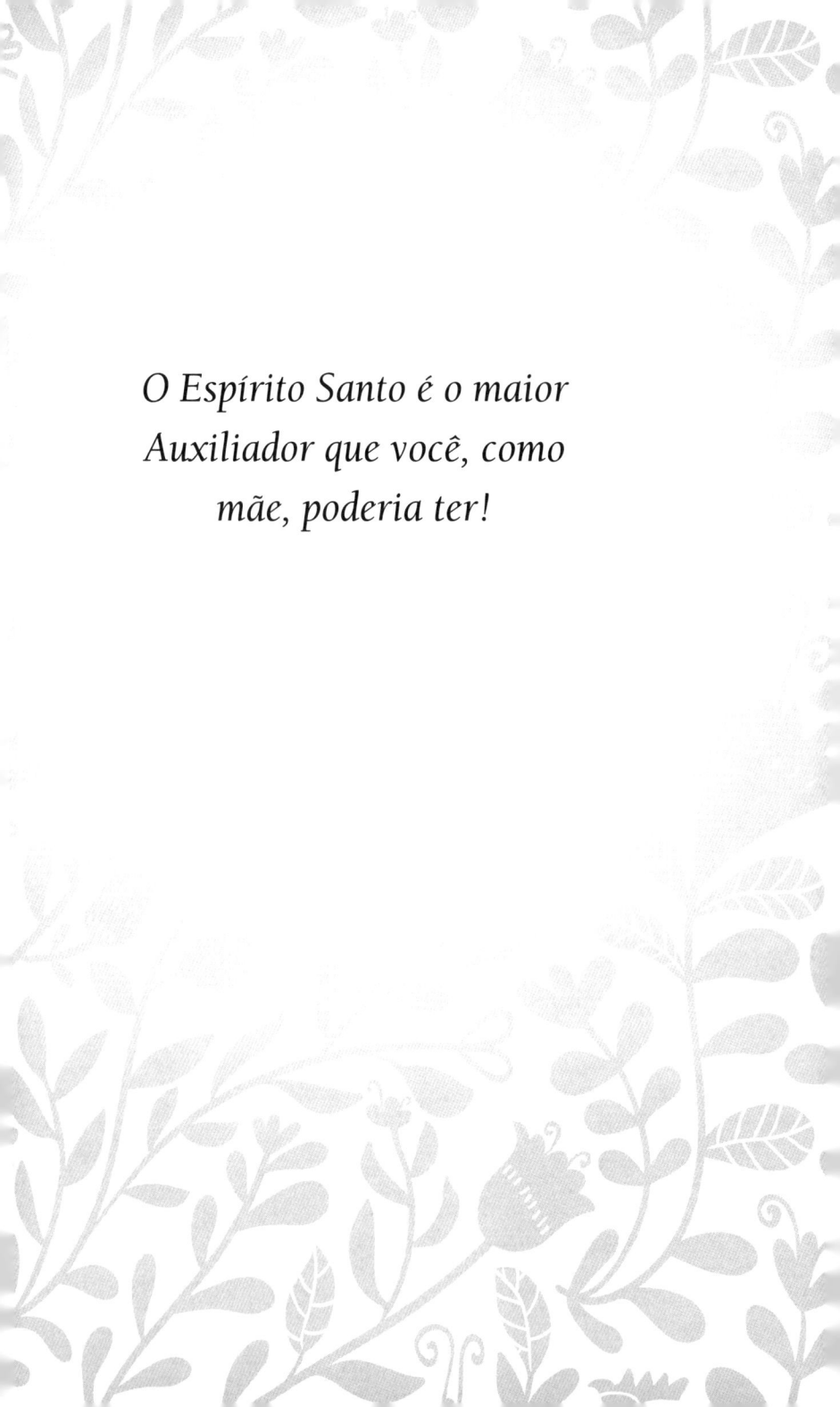

O Espírito Santo é o maior Auxiliador que você, como mãe, poderia ter!

CAPÍTULO 9

Ressalte o Positivo

Certa vez perguntaram a uma mãe frustrada se, caso ela tivesse de fazer tudo de novo, se ela teria filhos ou não. "Sim", ela respondeu. "Mas não os mesmos".

Creio que há momentos em que praticamente todas as mães se sentiriam tentadas a dar essa resposta. Há momentos em que nossos filhos — por mais maravilhosos que sejam — podem testar nossa paciência. Eles fazem isso de inúmeras formas, é claro, mas eu teria de dizer que quando meus filhos eram menores, não eram as fraquezas naturais deles que eu considerava mais desafiadoras, eram as atitudes negativas.

Existem poucas coisas mais irritantes para nós, pais, do que filhos que reclamam e são ingratos. Afinal, dedicamos nossas vidas a eles. Nós os amamos, oramos por eles, os alimentamos, os vestimos, os educamos e fazemos tudo o mais que podemos fazer para abençoá-los. Tudo o que realmente queremos em troca é que eles sejam felizes e gratos. Por essa razão, quando eles resmungam, listando tudo que há de errado em suas vidas e tudo o que eles não têm, isso entristece nosso coração. Como pais, queremos ser valorizados! Não gostamos quando nossos filhos têm atitudes negativas, mas é possível que eles as tenham herdado de nós? É possível que estejamos vendo nosso próprio comportamento refletido em um espelho? Como pais, devemos nos esforçar para ser bons exemplos para nossos filhos em todas as coisas, e isso certamente inclui ter uma atitude boa, positiva e grata. Não podemos esperar que nossos filhos não reclamem se eles nos ouvem reclamando.

Deus se entristece quando nós, seus filhos, ignoramos todas as bênçãos que Ele nos deu e focamos nas coisas com as quais não estamos satisfeitos. O coração dele se entristece quando reclamamos das batalhas que enfrentamos na vida em lugar de celebrarmos todas as vitórias que, pela graça e bondade de Deus, já conquistamos! É por isso que Ele disse isto na Bíblia:

Alegrem-se [na sua fé] e regozijem-se e fiquem contentes continuamente (sempre); sejam incessantes na oração [orando com perseverança]; agradeçam [a Deus] em tudo [sejam quais forem as circunstâncias, sejam gratos e deem graças], porque essa é a vontade de Deus para vocês [que estão] em Cristo Jesus... Não apaguem (não abafem ou amorteçam) o Espírito Santo.

1 Tessalonicenses 5:16-19

São instruções muito claras e simples. Mas você sabe tão bem quanto eu que muitas vezes nos sentimos inclinadas a discutir sua validade. "Bem, sabe como é, eu não deveria ser tão irritadiço, mas tenho que dar conta de tantas coisas", dizemos. "Minha conta bancária está vazia e meu carro precisa de pneus novos. Meus filhos estão com alergia e precisam de aparelhos dentários. Meu chefe é um imbecil, meu marido passa todos os fins de semana assistindo ao futebol na tevê e meu vizinho tem um cachorro que late sem parar. Com certeza Deus não espera que eu fique alegre e que seja grata em meio a tudo isso!"

Sim, na verdade Ele espera. Porque embora todas essas coisas possam ser verdade, isto também é: pela Sua graça fomos salvos dos nossos pecados, temos esperança em todas as coisas e estamos destinados a uma eternidade no Céu. Temos uma Bíblia cheia de promessas que podem nos ajudar a superar todos os desafios que enfrentamos. Temos um Pai celestial que nos ama sem limites e cuja misericórdia não tem fim.

Por causa da Sua bondade, temos ar para respirar, um coração que bate e uma família para amar. E sem Ele, não teríamos nada: nem uma conta bancária de tamanho algum, nem um carro (com ou sem pneus), nem um filho ou filhos, nem um emprego, nem um marido, nem aparelhos modernos. Nem sequer teríamos ouvidos para ouvir um cão que late.

Cuido de minha mãe e de minha tia que estão agora ambas em uma casa de repouso. A saúde delas está fragilizada e a mobilidade delas bastante limitada. Elas passam a maior parte do tempo sentadas em uma cadeira ou deitadas na cama. Há algum tempo, estava visitando minha tia e ela disse: "Querida, adoraria comer alguns pêssegos". O pedido dela tão simples me fez lembrar de como costumamos achar que nunca perderemos as pequenas coisas na vida, e como consequência não as valorizarmos. Fui com satisfação ao mercado e comprei três pêssegos grandes para ela e fiquei feliz porque posso comprar pêssegos, ou qualquer outra coisa que desejo comer, a qualquer momento. Esse acontecimento me lembrou do quanto gosto de tomar café em uma cafeteria ou comer os tomates caseiros do mercado de agricultores, e fiquei mais grata ainda naquele dia.

Gostaria de poder dizer que ajo assim todos os dias, mas há muitos dias em que simplesmente é mais fácil me deixar levar pela negatividade. Se não passar tempo com o Senhor todos os dias e me dispuser deliberadamente a obedecê-lo, me rendendo ao fruto do Espírito, posso passar a ver o que há de errado em minha vida em vez de ver o que há de bom. E isso acontece com todo mundo. Simplesmente por causa da natureza da carne, é preciso um esforço para que nós, os seres humanos, sejamos positivos e gratos.

Ser rabugento, por outro lado, é muito fácil!

O Problema Não São os "itas" nem os "eus"

Não há maior exemplo disso do que os israelitas libertados por Deus do Egito. Eles eram famosos por serem campeões mundiais em reclamação. No entanto, eles tinham mais razões para se alegrar do que qualquer outro grupo de pessoas em todo o Antigo Testamento. Deus fez coisas absolutamente impressionantes por eles! Ele colocou a maior nação do mundo de joelhos para libertá-los de uma vida de cruel escravidão. Ele os curou e os prosperou com prata e ouro. Ele os salvou do exército de Faraó, dividiu o Mar Vermelho e conduziu-os por terra seca.

E se isso não bastasse, Ele os conduziu pelo deserto com a nuvem e o fogo da Sua presença de dia e de noite. Ele os alimentou com alimento do Céu quando tiveram fome. E quando tiveram sede, Ele fez brotar água de uma rocha.

Ele também prometeu levá-los a uma terra de leite e mel onde prosperariam e seriam abençoados. Mas a maioria deles nunca conseguiu viver ali porque fizeram a mesma coisa que costumamos fazer hoje. Eles "... *murmuraram e lamentaram as suas dificuldades, o que pareceu mal aos ouvidos do* SENHOR, *e quando o* SENHOR *o ouviu, a Sua ira se acendeu; e o fogo do* SENHOR *ardeu entre eles e devorou aqueles que estavam nas áreas remotas do acampamento*" (Números 11:1).

Graças a Deus porque vivemos sob a Nova Aliança e não sob a Velha! Não temos de nos preocupar com a possibilidade de Deus incendiar nossa casa porque murmuramos. Mas isso não significa que podemos fazer isso sem que haja consequências. A ingratidão e a reclamação são pecado hoje tanto quanto eram naquele tempo. Quando agimos movidos por elas, abrimos a porta para o diabo e, antes que nos demos conta, ele transforma a nossa casa em um caos. Ele faz nossos maridos ficarem irritados e grosseiros. Ele faz os filhos começarem a brigar e a reclamar. Tudo porque fomos razinzas e o convidamos a entrar. Lembre-se sempre de que a gratidão mantém o diabo longe, mas quando reclamamos, ele vem para ficar!

Seria de esperar que após fazermos isso uma ou duas vezes, aprenderíamos essa lição. Mas geralmente não aprendemos, e os israelitas também não aprenderam.

Apenas dois capítulos após serem incinerados pelo fogo do Senhor, eles voltaram a essa mesma prática. Desta vez eles estavam irritados porque ouviram dizer que havia inimigos vivendo na terra que lhes tinha sido prometida. Não sei por que eles ficaram tão surpresos com essa notícia. O Senhor havia dito a eles que eles teriam de expulsar os canaanitas, os hititas, os amorreus, e muitos outros "itas" e "eus". Ele também lhes garantiu vez após vez que Ele os capacitaria a vencer todas as batalhas. Mas de alguma forma, eles se esqueceram. Assim...

Toda a congregação clamou em alta voz e [eles] choraram a noite inteira. Todos os israelitas murmuraram e lamentaram a sua situação, acusando Moisés e Arão, a quem toda a congregação disse: Tomara que tivéssemos morrido... neste deserto! Por que o Senhor nos traz a esta terra para cairmos pela espada? Nossas mulheres e nossos pequeninos serão uma presa. Não é melhor voltarmos ao Egito?

Números 14:1-3

Em resultado da reclamação deles, aquela geração de israelitas nunca entrou na Terra Prometida; em vez disso, a murmuração e reclamação deles sobre os "itas" e "eus" que enfrentariam os manteve de fora do melhor de Deus para suas vidas.

É fácil ver o quanto é importante ter uma atitude grata quando consideramos os milhares de vezes que a Bíblia nos instrui a sermos gratos, a darmos louvor e a adorarmos a Deus. Não é apenas uma coisa boa a se fazer, esse tipo de atitude positiva e grata é também muito poderoso.

Muitos cristãos hoje acabam fazendo praticamente a mesma coisa que os israelitas fizeram. Eles recebem Jesus como Salvador, mas param antes de chegar à sua Terra Prometida. Em vez de desfrutarem todas as bênçãos que Deus preparou para elas, essas pessoas passam anos perambulando pelo deserto reclamando dos seus "itas" e "eus".

Você sabe do que estou falando. Todos nós temos nossos "itas" e "eus". Temos os maridos-insensíveis-itas, os ai-as-minhas-costas-doem-eus, os economia-em-crise-itas, os filhos-que-estão-me-deixando-louca-eus. Mas para nós, assim como no caso do povo de Israel, os "itas" e os "eus" não são realmente o problema. Eles não estão nos impedindo de entrar na nossa Terra Prometida.

O que nos impede de entrar pode ser às vezes simplesmente uma atitude negativa! Falo isso por experiência própria porque eu costumava ser a rainha da atitude negativa. Fui criada em um ambiente tão negativo que conseguia encontrar algo errado em tudo. Eu via "itas" e "eus" em toda parte. Quando me casei com Dave, decidi que ele era o pior de todos. Assim, passei anos resmungando, reclamando e dizendo a Deus que Dave estava me fazendo infeliz.

Finalmente, Deus falou comigo. "Joyce, Dave não é o problema", Ele disse. "O problema é você". Eu precisava seriamente mudar minha atitude e, felizmente, Deus me ajudou antes que todos os meus filhos crescessem e ainda tive tempo de influenciá-los de forma positiva.

O Dia em Que a Torta Caiu

A revelação de que eu tinha uma atitude negativa veio como um choque e, a princípio, não fiquei animada com ela. É por isso que posso me compadecer de você se você não está se sentindo animada neste instante. Nossa carne tem dificuldade em assimilar esse tipo de informação. É duro abrir mão de jogar a culpa nos outros e encarar o fato de que somos responsáveis pelas nossas próprias atitudes. Mas se fizermos isso, uma porta para mudanças maravilhosas em nossas vidas se abrirá — principalmente para nós que somos mães.

Veja bem, como mães, nossas atitudes negativas não apenas entristecem o Espírito de Deus, elas entristecem nossa família também. Como alguém disse certa vez: "A mãe é como o termostato do lar. Ela determina o clima". Quando somos negativas e ingratas, nossos filhos tendem a ser assim também. Quando somos positivas e gratas, eles refletem essas atitudes. Com o tempo, é provável que as posturas e as atitudes que nossos filhos veem consistentemente em nós criem raízes neles, se tornando as posturas e as atitudes deles também.

Foi isso que aconteceu com Debbie Morris. Esposa de um ministro, ela é muito conhecida entre os amigos e os membros da congregação por seu temperamento alegre e gracioso. Como todas nós, ela teve de trabalhar nessa área estudando a Bíblia e crescendo no Senhor, mas ela também dá uma parte do crédito à sua mãe.

Ela conta sobre um incidente em particular em sua infância quando a atitude positiva de sua mãe a marcou permanentemente. Foi no dia em que a torta caiu. "Nunca me esquecerei", diz Debbie.

[Mamãe havia] passado o dia inteiro limpando a casa de cima a baixo porque ia receber convidados. Tudo estava pronto, exceto a torta. Uma daquelas tortas de cream cheese com massa de biscoito e cobertura de morango. Ela estava montada, mas precisava esfriar por algum tempo. Enquanto minha irmã e eu observávamos, com água na boca, minha mãe ergueu a torta do balcão para colocá-la na geladeira quando a tragédia aconteceu. A torta caiu e se espatifou no chão brilhante da cozinha.

Por um terrível instante, nós três olhamos em choque. Depois, com grande graça, minha mãe abriu a gaveta dos talheres e tirou três colheres. "Vamos comer!" disse ela com um sorriso. Então todas nós nos sentamos e fizemos uma festa no chão... Essa é uma lembrança que vou sempre guardar no coração. E ela existe porque minha mãe escolheu ser graciosa, e não rabugenta.[4]

Uma atitude positiva não é o resultado de termos o melhor de tudo na vida; ela resulta de *fazermos* o melhor de tudo na vida! A mãe de Debbie deu uma prova disso naquele dia. Ela reconheceu que era responsável por sua atitude e que só ela poderia escolher como agir. Então ela fez uma escolha sábia — não apenas para seu próprio bem, mas para o bem de suas filhas. Ao fazê-lo, ela deu um bom exemplo para todas nós seguirmos.

> *Uma atitude positiva não é o resultado de termos o melhor de tudo na vida; ela resulta de fazermos o melhor de tudo na vida!*

Por favor, entenda o que quero dizer de todo o coração: minha intenção não é minimizar os problemas que você talvez esteja enfrentando neste momento. Entendo que eles podem ser muito maiores e mais sérios do que uma torta cair no chão. Mas o princípio permanece o mesmo. Em qualquer situação,

---

[4] Debbie Morris, *The Blessed Woman* (Southlake, TX; Gateway Create, 2012), 90-91.

você pode escolher ser positiva. Pode decidir contar as suas bênçãos e lembrar todas as coisas que Deus tem feito por você.

Li acerca de judeus em campos de concentração alemães durante a Segunda Guerra Mundial que fizeram exatamente isso! Eles decidiram que a única coisa que o inimigo deles não poderia roubar era sua atitude positiva. Então, acontecesse o que fosse, eles se recusavam a abrir mão dela. Mesmo em meio à tragédia mais impensável, essas pessoas encontravam algum motivo para serem gratas.

Ah, como é maravilhoso que Deus nos tenha dado a capacidade de olhar as coisas negativas a partir de uma perspectiva positiva! Isso nos capacita a transformar as provações da vida em oportunidades de edificar nosso caráter e de experimentar o poder de Deus de forma mais profunda. Isso transforma o que pensávamos ser nosso pior inimigo em nosso melhor amigo e permite que vejamos por nós mesmos o motivo pelo qual a Bíblia diz:

> *Todas as coisas cooperam [e se encaixam em um plano] para o bem daqueles que amam a Deus e que são chamados de acordo com o [Seu] projeto e propósito.*
>
> Romanos 8:28

> *... sintam-se felizes porque quando o caminho é áspero, a perseverança de vocês tem uma oportunidade de crescer. Portanto, deixem-na crescer, e não procurem desviar-se dos seus problemas. Porque quando a perseverança de*

vocês estiver afinal plenamente crescida, vocês estarão preparados para qualquer coisa, e serão fortes de caráter, íntegros e perfeitos...

Tiago 1:2-4, ABV

[Os outros] planejaram o mal contra mim, mas Deus planejou isto para o bem...

Gênesis 50:20

Há alguns anos, estava preparando-me para pregar uma mensagem na qual compartilharia todo meu testemunho. Quando me sentei para fazer algumas anotações sobre os detalhes do abuso que sofri no passado, fiquei impactada novamente com o que Deus fez por mim. Ele tomou o que o diabo havia planejado para a minha destruição, me libertou e usou o que havia me acontecido para me estimular no meu ministério. Hoje, a dor que experimentei no passado se tornou um dos principais motivos pelos quais prego com tanta paixão.

Deus pode verdadeiramente extrair o bem de qualquer coisa! Esse é o motivo pelo qual podemos ter um coração grato e agradecer a Ele em tudo e em todo o tempo, independentemente de quais sejam as circunstâncias.

> *Deus pode verdadeiramente extrair o bem de qualquer coisa!*
>
>

Entendo que às vezes isso não é algo fácil de fazer. Quando acontecem coisas que parecem injustas ou quando os tempos difíceis duram mais do que o esperado, você sempre se sentirá tentada a reclamar. Mas ao enfrentar essa tentação, lembre-se disto: reclamar nunca ajuda; somente torna a situação ainda pior e impede a obra de Deus em sua vida. Ter um coração alegre e ser grata, por outro lado, faz exatamente o oposto. Mantém seu foco no Senhor e abre a porta para a sua vitória. Isso não apenas torna sua família mais feliz, como mantém você feliz também.

Então, por que você não faz um favor a si mesma? Quando as tortas da vida caírem no chão, foque no lado positivo. Em vez de dar um chilique, pegue algumas colheres e comece a celebrar a bondade de Deus. Dê uma festa de louvor que seus filhos jamais esquecerão.

CAPÍTULO 10

Livre Para Seguir em Frente

Minha mãe me disse: "Se você for um soldado, se tornará um general. Se você for um monge, se tornará o Papa." Em vez disso, fui um pintor, e me tornei Picasso.

— Pablo Picasso

O nome dele era Jabez e a Bíblia resume toda sua vida em apenas dois versículos.

Quase ninguém havia ouvido falar dele até que, há alguns anos, o livro *A Oração de Jabez* entrou para a lista dos *best-sellers*. Desde então, ele se tornou uma espécie de herói espiritual. Sua história abençoou e inspirou milhares de pessoas. Estudos bíblicos abordaram sua grande visão de futuro, falaram de sua oração ousada e da resposta de Deus.

Não se falou muito, porém, sobre sua mãe.

De acordo com a Bíblia, a mãe de Jabez não foi exatamente um grande exemplo de positividade. Diferente de outras mães que enfatizei neste livro, a mamãe Jabez não parece ser muito inspiradora. Ao contrário, ela parece ser uma pessoa negativa.

A Bíblia não nos diz como ela ficou assim, mas nos dá um vislumbre de como isso afetou não apenas Jabez, mas o restante de sua família também. Em 1 Crônicas 4:9, a Bíblia diz:

Jabez foi honrado acima de seus irmãos; mas sua mãe o chamou Jabez [aquele que gera dores], dizendo: Porquanto com dores o dei à luz.

Por mais curto que seja, esse versículo revela muito. Primeiramente, ele nos diz que a mãe de Jabez escolheu seu nome, o que significa que ela talvez fosse uma mãe solteira, mas não sabemos disso com certeza. (Naquele tempo, eram os pais que geralmente davam nome aos seus filhos.) Também nos diz que o nome que ela deu a ele traduzia-se literalmente por *aquele que gera dores*, o que significa que ela se sentia infeliz com suas circunstâncias e, pelo menos até certo ponto, culpava Jabez por isso. Por fim, esse versículo nos diz que seus irmãos não eram honrados, o que geralmente fala sobre conflitos ou falta de disciplina no lar. Junte todos esses fatores e teremos tudo menos um lar ideal. (Você pode imaginar ser chamado de "*Aquele que Gera Dores*" por toda a sua vida? Isso é que é desculpa para ter uma autoimagem negativa!)

No entanto, para nosso espanto, Jabez não acabou na prisão nem seu nome na lista dos mais procurados. Em vez disso,

Jabez invocou o Deus de Israel, dizendo: "Oh! Tomara que me abençoes e me alargues as fronteiras, que seja comigo a

tua mão e me preserves do mal, de modo que eu não cause
dores!" E Deus lhe concedeu o que lhe tinha pedido.

1 Crônicas 4:10

Não é impressionante? Apesar dos erros de sua mãe e das suas desvantagens, Jabez acabou se saindo bem. Ele cresceu e se tornou um homem de oração crente em Deus com riquezas e influência e com um coração que desejava abençoar outras pessoas.

Ele se tornou um exemplo tão fantástico que Deus incluiu sua história na Bíblia, e as pessoas ainda hoje aprendem com ele. Não importa como começamos na vida, podemos ter um bom final se colocarmos nossa confiança em Deus.

Confissões de Uma Ex-Viciada em Culpa

Considerando que a mãe de Jabez aparentemente não teve participação em seu sucesso, você talvez esteja se perguntando por que eu a incluiria em um livro sobre ser uma mãe confiante. Portanto, deixe-me lhe garantir logo que não é porque eu ache que devamos seguir as pegadas dela. Com certeza jamais sugeriria que devemos nos esquivar das nossas responsabilidades para com nossos filhos e agir como se nossa influência em suas vidas não importasse.

Mas, ao refletir sobre essa mãe, isto é o que eu gostaria de sugerir: é hora de nos livrarmos do fardo de culpa que costumamos carregar por aí e pararmos de pensar que nossos erros vão arruinar a vida dos nossos filhos!

> *É hora de nos livrarmos do fardo de culpa que costumamos carregar por aí e pararmos de pensar que nossos erros vão arruinar a vida dos nossos filhos!*

Pensar dessa maneira é um grande problema para as mães atualmente. As pesquisas mostram que 90% das mães admitem se sentir culpadas por não *fazer* o suficiente, por não *dar* o suficiente, ou por não *ser* o suficiente para seus filhos.[5] Muitas mães até dizem que se sentem devastadas pela culpa "na maior parte do tempo". De acordo com um especialista, a maioria das mães começa a se sentir culpada dias após o nascimento de seus filhos e nunca mais deixa de se sentir assim. Na verdade, esse sentimento só piora na medida em que a criança cresce.

É algo trágico! Mas, sendo eu mesma uma ex-viciada em culpa, identifico-me com essas mães.

Eu nem mesmo esperei até me tornar mãe para dar início à minha jornada de culpa. Comecei quando ainda era uma criança. Quando pequena, eu levava comigo uma constante sensação de culpa por causa do abuso sexual que sofri. Como as crianças costumam fazer, eu me culpava por isso.

---

[5] "A maioria das mães admite se sentir culpadas por trabalhar e constantemente questionam se são boas mães", *Daily Mail*, Reino Unido, http://www.dailymail.co.uk/femail/article-2266292/Majority-mothers-admit-feeling-guilty-balancing-work-home-life-constantly-question-good-parent.html#xzz2ifPPOXrB, acesso em 9 de julho de 2013.

Quando cresci e comecei a andar com o Senhor, a culpa continuou a ser minha companheira constante. Andei por aí durante anos dizendo a mim mesma: *Você não deveria ter feito aquilo! Você deveria ter feito isso! Você devia sentir vergonha!* Estava até mesmo convencida de que aquela culpa era algo de Deus. Eu pensava que se me sentisse mal o bastante em relação às minhas imperfeições, eu melhoraria. Também tinha a impressão de que meus sentimentos de culpa realmente agradavam a Deus — que eles provavam a Ele que eu realmente sentia muito por todas as maneiras pelas quais o decepcionava. Como resultado disso, eu não me sentia bem se não me sentisse mal!

Mas — *graças a Deus!* — finalmente chegou o dia em que percebi a verdade: carregar um fardo de culpa não faz bem algum a ninguém.

Isso não nos estimula a ter um comportamento mais virtuoso, ao contrário, apenas nos faz agir pior. A culpa rouba nossa vida, dia após dia. Ela suga a energia que precisamos para desfrutar nossa família, para crescer em Deus e para sermos úteis para Ele. E mais, a culpa não agrada ao Senhor! Ela parte Seu coração, porque Ele enviou Jesus para derramar Seu sangue a fim de que pudéssemos viver livres da culpa.

Nunca me esquecerei do instante em que fui fortemente impactada por essa revelação. Foi um momento definitivo em minha vida e aconteceu quando eu estava andando pelo estacionamento de uma loja. Como normalmente acontecia, estava me sentindo culpada por alguma coisa que havia feito, de modo que estava me castigando interiormente e me sentindo como um verme.

Naquela época, a duração da minha viagem de culpa dependia de como eu categorizava o pecado que havia cometido. Se ele fosse, de acordo com minha própria escala, apenas um deslize pequeno, como ficar um pouco irritada com as crianças, eu podia me sentir culpada somente por algumas horas. Se fosse um pecado tamanho médio, como falar asperamente ou agir com irritação com elas, podia me sentir culpada por alguns dias. Se fosse um pecado grande — digamos que as tivesse realmente repreendido com severidade, gritado e me enfurecido — eu podia me sentir culpada por semanas.

Naquela situação em particular, eu havia feito algo que se encaixava na minha categoria de "grande pecado", então estava me sentindo culpada havia bastante tempo e ainda me sentiria assim por mais um bom tempo. Quando estava atravessando o estacionamento, o Senhor sussurrou em meu coração: "Como você pretende se livrar desta culpa que está carregando?"

Eu sabia exatamente como responder.

— Simplesmente vou receber o sacrifício que Jesus fez por mim na cruz — respondi, sentindo-me muito espiritual.

— *Quando você pretende fazer isso?* — Ele perguntou.

Imaginei que o Senhor já sabia a resposta, então eu podia ser sincera.

— Dentro de dois ou três dias — afirmei.

— *Joyce, se esse sacrifício será suficiente para livrá-la da culpa dentro de dois ou três dias, ele também não é suficiente agora?*

— Sim, Senhor, é sim.

— *Então Eu adoraria se você o recebesse logo e parasse de se sentir culpada. Porque preciso de você e, francamente, você não é muito útil para Mim neste estado!*

De pé ali naquele estacionamento, pensando sobre o que Deus havia colocado em meu coração, tive um despertamento. Eu me dei conta de que a montanha de culpa sob a qual havia estado enterrada estava me privando e privando a minha família da vida abundante e alegre que Jesus morreu para nos dar. Então, enrolei minhas mangas espirituais e comecei a cavar de volta à superfície. Comecei a estudar o que a Bíblia diz sobre o perdão e a graça de Deus. Renovei minha mente para poder pensar nos meus pecados — passados, presentes e futuros — da maneira que o Senhor pensa. Deus nos perdoa completamente e leva nossos pecados para tão longe quanto o ocidente está distante do oriente e não se lembra mais deles! (ver Hebreus 10:17-18; Salmos 103:12).

Desde então, tenho sido uma pessoa diferente. Ocasionalmente tenho ataques de culpa, como todos nós temos, mas os reconheço e me recuso a viver nessa situação por muito tempo.

Se Deus Está Feliz com Você, Você Também Pode Estar

Não temos de acordar todas as manhãs nos sentindo culpadas pelas bobagens que fizemos ontem e nos preocupando com as que temos medo de fazer hoje! Quando cometo um erro, não permito mais que a culpa me deprima, porque entendo três verdades bíblicas que toda mãe que deseja viver livre da culpa precisa entender.

A primeira verdade é esta: quando Jesus foi para a cruz, Ele derrotou o pecado de uma vez por todas. Como Romanos 8:3 diz, Ele *"... o subjugou, o venceu, o privou do seu poder sobre todos os que aceitam esse sacrifício".* Portanto não temos de viver com medo dele. Ao contrário, podemos fazer o que Romanos 6:11 nos diz:

> *Considerem-se também mortos para o pecado e sua relação com ele quebrada, mas vivos para Deus [vivendo em comunhão inquebrantável com Ele] em Cristo Jesus.*

> *Não temos de acordar todas as manhãs nos sentindo culpadas pelas bobagens que fizemos ontem e nos preocupando com as que temos medo de fazer hoje!*

Em outras palavras, podemos parar de focar nas nossas imperfeições e começar a focar em Deus! Podemos ter comunhão com Ele em vez de com os nossos erros. Para nós, mães, isso significa que podemos deixar de ser legalistas, tentando cumprir todos os mandamentos que criamos para nós mesmas. (Por exemplo: Tu jamais faltarás a nenhum dos jogos de futebol de teu filho. Tu jamais deixarás de dar banho em teus filhos e não colocarás teus filhos na cama com os pés sujos, por mais cansada que estejas. Tu não usarás DVDs infantis como babá, ainda que sejam de desenhos cristãos.) E, em vez disso, podemos focar em crescer o máximo possível em intimidade com o Senhor, em andar em amor, em seguir a direção dele e em fazer o que Ele nos dá graça para fazer.

"Mas e se eu não conseguir fazer perfeitamente o que Deus me chamou para fazer?"

Ah, confie em mim, você não conseguirá. Nenhuma de nós consegue — não de acordo com os padrões humanos. Mas felizmente, a definição de Deus de perfeição é diferente da nossa. De acordo com Jesus, Ele define ser perfeito como crescer até a maturidade completa de santidade de mente e caráter (ver Mateus 5:48). Na verdade, Deus não é tão difícil de conviver como às vezes pensamos que Ele é. Desde que estejamos crescendo e progredindo, Ele está feliz conosco.

No meu modo de ver, se Deus está feliz conosco, podemos parar de nos sentir culpadas por não termos chegado à perfeição total ainda e ficar felizes com nós mesmas também!

Não estou dizendo, é claro, que quando desobedecemos ao Senhor e conscientemente fazemos algo errado devemos simplesmente ignorar nosso pecado e agir como se ele não importasse. Ele importa, tanto para Deus quanto para nós. Por isso devemos admitir os nossos pecados e receber o perdão do Senhor a fim de podermos deixar o pecado para trás e seguir em frente.

O que me leva à segunda verdade bíblica que nos liberta do ciclo da culpa: Jesus já pagou todo o preço por cada pecado que cometeremos — passado, presente ou futuro. Ele já providenciou o perdão completo e total para nós. Tudo o que Ele pede de nós é que o recebamos e creiamos que "... *ele é fiel e justo para perdoar os nossos pecados e nos purificar de toda maldade*" (1 João 1:9).

Observe que, de acordo com esse versículo, Deus não apenas nos perdoa, mas Ele nos purifica! Ele realmente veio para tirar os nossos pecados (ver 1 João 3:5). Ele os afasta para tão longe quanto o oriente está distante do ocidente (ver Salmos 103:12) e não se lembra mais deles (ver Hebreus 10:17). Porque Deus esquece tudo o que fizemos de errado, estamos livres para fazer o mesmo!

Mas tenho de adverti-la: o diabo odeia essa verdade. Ele odeia o fato de que você pode simplesmente aceitar o sacrifício de Jesus e seguir em frente livre da culpa. De modo que ele continuará tentando lembrá-la de tudo o que você fez de errado. Ele fará o máximo possível para fazer você se sentir culpada, envergonhada e injusta. Mas quando ele fizer isso, você pode ser como os crentes de Apocalipse 12:11 que venceram as acusações do diabo "*pelo sangue do Cordeiro e pelo pronunciamento do seu testemunho*".

Você pode dizer: "Este pecado se foi e está esquecido. Ele nem sequer existe mais porque o sangue de Jesus o apagou. Estou perdoada e limpa! Não há condenação sobre mim!"

Quando começar a dizer essas coisas, você talvez ainda tenha problemas com suas emoções. Talvez ainda se sinta culpada. Mas se você se apegar à verdade da Palavra, suas emoções acabarão se alinhando e você realmente se sentirá livre da culpa!

Não Compre a Mentira

Se você cometeu erros que afetaram seus filhos de uma forma ou outra, quero encorajá-la a se lembrar desta terceira verdade bíblica: não há nada que você tenha feito de errado que seja grande demais para Deus consertar. Ele pode realmente fazer com que todas as coisas cooperem para o bem, não apenas para o seu bem, mas também para o dos seus filhos.

Mais uma vez, não estou sugerindo que você simplesmente ignore seus erros como mãe. Quando fizer algo que afete negativamente seus filhos, você deve ser sincera com eles e reconhecer isso. Você deve pedir desculpas, orar por eles e confiar em Deus para cobrir a situação com Sua misericórdia e graça. Mas uma vez tendo feito essas coisas, você não deve comprar a mentira de que seus filhos não podem se recuperar

> *Não há nada que você tenha feito de errado que seja grande demais para Deus consertar. Ele pode realmente fazer com que todas as coisas cooperem para o bem, não apenas para o seu bem, mas também para o dos seus filhos.*

dos danos que sofreram por causa de seus erros. Eles podem, se quiserem.

Sou a prova viva disso. Minha infância foi um pesadelo, mas eu clamei a Deus, e quando cresci Ele ressuscitou o que eu havia perdido e me restituiu com dupla honra pela minha afronta.

Vi esse mesmo milagre se repetir com meus próprios filhos. Quando eles eram pequenos, por eu estar ainda nos primeiros estágios da maturidade cristã e não saber ainda o que sei agora, passei para eles certa dose da dor da minha própria infância. Embora eles não sofressem qualquer tipo de maus tratos físicos, gritei muito, fui muito impaciente e bastante legalista.

Meu filho mais velho costumava me lembrar disso com muita frequência. Sempre que fazia algo errado, ele me dizia: "Se você não tivesse me tratado como me tratou, eu não seria como sou!" Durante algum tempo, permiti que as palavras dele fizessem com que eu me sentisse culpada. Mas então, um dia, Deus me fez ver as coisas com clareza me lembrando do seguinte: "Seu filho tem a mesma oportunidade que você teve. Ele pode ser curado pela Minha Palavra assim como você fez".

Essa mensagem não apenas foi boa para mim, como foi boa para ele! Ele finalmente a colocou em seu coração e cresceu, tornando-se um maravilhoso homem de Deus. É claro que eu ainda gostaria de ter sido mais sábia quando ele era criança para que pudesse ter sido uma mãe melhor para ele e para meus outros filhos, porém, pela graça de Deus, nossa família se saiu muito bem. Todos nós nos damos bem. Amamos servir a Deus e passar tempo juntos.

E os meninos ainda gostam de implicar comigo. Quando fazem algo de que não gosto, eles dizem: "Ei, eu puxei isso de você!" Quando fazem algo bom, dou o troco e digo: "Vocês puxaram isso de mim também!" Então, todos nós rimos.

Nossa família não é um caso totalmente único. Deus fez o mesmo tipo de coisa por muitas outras famílias. Conheço uma mãe, por exemplo, que tinha alguns problemas sérios quando sua filha era pequena. Como resultado disso, ela cometeu alguns erros graves e causou muita dor à sua filha. Quando a menina cresceu, ela reagiu a essa dor tornando-se uma alcoólatra. Amarga e irada, ela culpava sua mãe continuamente por seu comportamento.

Contudo, com o passar do tempo, essa mãe recebeu a revelação do perdão e da graça de Deus. Determinada a viver livre da culpa e a seguir em frente com sua vida, ela parou de permitir que sua filha a censurasse. Ela reconheceu que havia cometido erros, mas disse à sua filha: "Você é responsável por suas próprias escolhas. Sinto muito por tê-la ferido, mas se você me perdoar e tomar posse da Palavra poderá mudar sua vida".

Essa foi uma conversa dura motivada pelo amor, mas, no fim, as coisas acabaram bem. A filha mudou e estabeleceu um bom relacionamento não apenas com o Senhor, mas também com sua mãe. Embora elas morassem em cidades diferentes, ela começou a telefonar para a mãe todos os dias apenas para conversar.

> *Não podemos seguir em frente rumo ao futuro maravilhoso que Deus planejou para nossa família enquanto arrastarmos a culpa e o lixo do passado atrás de nós.*

Estas histórias confirmam algo que todas nós, mães, precisamos recordar: não podemos seguir em frente, rumo ao futuro maravilhoso que Deus planejou para nossa família enquanto arrastarmos a culpa e o lixo do passado atrás de nós.

Portanto, independentemente do que fizemos de errado no passado, precisamos receber o perdão de Deus e dizer, como o apóstolo Paulo:

> *Irmãos, não penso que eu mesmo já o tenha alcançado, mas uma coisa faço: esquecendo-me das coisas que ficaram para trás e avançando para as que estão adiante, prossigo para o alvo, a fim de ganhar o prêmio do chamado celestial de Deus em Cristo Jesus.*
>
> Filipenses 3:13-14, NVI

Esta é a maravilhosa lição que podemos aprender com Jabez e sua mãe: nossos erros não têm o poder de arruinar o futuro dos nossos filhos. Por causa do que Jesus fez, todos nós somos livres para seguir em frente.

Livres da culpa.

CAPÍTULO 11

Não Ouse Fazer Comparações

Há alguns anos, dois gansos vieram morar no lago que fica atrás da nossa casa. Não vou afirmar que Deus os enviou, mas direi que eles chegaram no momento perfeito. Eu estava me preparando para ensinar em um seminário sobre criação de filhos e, como se Deus quisesse me dar uma boa ilustração para usar, os gansos botaram alguns ovos e deram início a uma família.

Um dia, eu estava fazendo algumas anotações sobre Provérbios 22:6: "*Treine a criança no caminho que ela deve andar [e a seguir a sua inclinação ou dom individual]...*". Com esse versículo em mente, olhei pela janela e vi a mamãe ganso e seu parceiro se comportando como se também o tivessem estudado.

Eles enfileiraram todos os seus seis gansinhos fofos e, com um dos pais na frente da fila e o outro no fim, estavam tentando treinar sua pequena descendência a seguir o líder.

Cinco dos seis se saíram bem. Eles marchavam se balançando atrás da mamãe e não perderam o passo. Um deles, porém, insistia em ser diferente e marcava seu próprio caminho. Os pais continuavam abrindo espaço para ele na fila e mostrando a ele o que fazer. Mas ele simplesmente não queria seguir o programa.

Tive que rir. Todas as mães enfrentam esse dilema às vezes. Tentamos fazer com que nossos filhos sejam exatamente como nós. Dizemos a eles: "Olhem para mim! Vamos lhes mostrar o que fazer e como fazer". Mas apesar dos nossos esforços, às vezes nossos filhos parecem determinados a marchar em um ritmo diferente. Assim como aquele gansinho estranho, eles simplesmente não querem seguir nosso programa.

Esse é um dos motivos pelos quais Deus nos disse para *"treinar a criança... a seguir a sua inclinação ou dom individual"*. Ele queria nos lembrar de que cada um dos nossos filhos é único, e que nosso chamado é descobrir essa singularidade e apoiá-la. Fomos ungidos por Deus não para transformarmos nossos filhos em cópias de nós mesmas (nem de ninguém), mas para fortalecer a individualidade deles.

É claro que, teoricamente, é isso que a maioria das mães cristãs quer fazer. Mas temos de admitir que às vezes isso é difícil para nós.

Por quê? Porque como disse anteriormente, não podemos dar o que não temos. Por isso, se não nos alegramos com o fato de sermos nós mesmas pessoas singulares, se ainda nos comparamos com as outras mães, tentando impressioná-las e ser como elas, vamos passar essa atitude para nossos filhos... Quer seja essa a nossa intenção ou não.

Um *post* de um blog na Internet recentemente explicou esse assunto. Ele continha a confissão de uma mãe que, durante os primeiros anos de vida dos seus filhos, os havia incentivado energicamente a se destacar. Ela estava tão determinada a fazer deles os melhores em tudo — desde os esportes, à música, às boas maneiras e ao modo de se vestirem — que os criticava incessantemente. Ela achava que estava apenas se preocupando com os interesses deles. Então, um dia, ela percebeu a verdade. O que a impulsionava era sua própria insegurança. "Tudo se resumia a mim", ela escreveu.

> Eu me preocupava com a maneira como o comportamento ou a aparência dos meus filhos se refletiriam em mim. Eu os compelia à perfeição porque estava excessivamente preocupada com o que as outras pessoas iriam pensar a respeito de mim, e não deles.
>
> Mas tudo isso mudou no dia em que minha filha mais nova abaixou seu violão no meio de uma aula. Depois de muitos olhares examinadores e de muita desaprovação minha pela maneira como ela estava tocando, ela simplesmente parou. Como se estivesse se rendendo em uma batalha na qual jamais poderia vencer, minha filha disse cinco palavras que não esquecerei enquanto viver: "Só quero ser boa, mamãe".
>
> Minha filha, que tem um talento genuíno para tocar violão e um amor inerente pelo canto, achava que *não era* boa. E era por minha causa.[6]

---

[6] Hands Free Mama, "Noticing the Good in Our Kids". *Mom to Mom*, 25 de junho de 2013, living.msn.com. Internet, acesso em 10 de julho de 2013.

Felizmente, a história terminou bem. Essa mãe mudou seu modo de agir. E sou grata por ela ter compartilhado sua experiência, porque creio que muitas mães podem se identificar com ela. Eu com certeza sou uma delas. Talvez eu não tenha feito exatamente o que ela fez quando meus filhos eram pequenos, mas sei o que é se sentir insegura e se preocupar com o que as outras pessoas pensam. No que se refere a me comparar com outras mulheres e sentir que não estou à altura delas, já passei por isso, já fiz isso e tenho a carteirinha desse clube!

Que eu me lembre, nunca tive a sensação de me encaixar no padrão de mãe considerado normal. Na verdade, durante anos nem sequer sentia que tinha as qualificações necessárias para ser considerada uma mulher normal! Em primeiro lugar, minha voz é muito grave. Em vez de ter uma voz feminina e suave como a maioria das mulheres tem, tenho uma voz tão parecida com a de um homem que uma vez liguei para uma clínica marcando uma limpeza de pele, e a mulher do outro lado da linha me perguntou se eu tinha barba ou cavanhaque!

Agora consigo rir disso, mas houve um tempo em minha vida em que teria sido motivo para eu chorar por dias. Minha voz não era o único motivo pelo qual eu queria chorar. Eu também costumava me lamentar pela minha falta de habilidade doméstica. Eu achava que havia algo errado comigo porque eu não era uma grande cozinheira, nem uma costureira de mão cheia.

Em vez de celebrar minha própria e exclusiva inclinação e o dom que Deus havia me dado para ensinar a Palavra, decidi, durante algum tempo da minha vida, que eu devia ser mais parecida com a minha vizinha. Eu a chamo de Sra. Habilidosa porque ela estava sempre fazendo trabalhos manuais, plantando jardins e preparando conservas de tomates. Houve um ano em que fiquei tão focada em me conformar à imagem dela que falei com Dave sobre plantarmos tomates para que a Sra. Habilidosa e eu pudéssemos fazer conservas juntas.

Dave fazia a maior parte do trabalho de jardinagem. Ele arrancava as ervas daninhas e regava o jardim fielmente, até que finalmente chegou o dia em que meus lindos tomates ficaram maduros. Com meu equipamento para preparar as conservas pronto, telefonei para a Sra. Habilidosa, e decidimos começar no dia seguinte.

Mas na manhã seguinte fui colher os tomates e fiz uma descoberta aterrorizante. Um enxame de besouros havia entrado neles durante a noite e feito enormes buracos negros em cada um. Arrasada, telefonei para a Sra. Habilidosa; "Nossos tomates estão arruinados!" eu disse.

Ela correu para seu quintal (que ficava a apenas alguns metros de distância do meu) para ver o quanto suas plantas haviam sido afetadas. Então ela me ligou de volta e me deu a boa notícia: "Meus tomates estão bem!"

Indignada, desliguei o telefone e pedi ao Senhor para me explicar a situação. "O que está acontecendo aqui?" eu disse. "Orei por esses tomates! Duvido seriamente que a Sra. Habilidosa tenha orado pelos tomates dela! Por que meus tomates ficaram arruinados e os dela sobreviveram?"

A resposta do Senhor foi rápida e simples. "Nunca lhe disse para plantar tomates. Portanto não tenho obrigação de proteger seus tomates".

Embora eu conte essa história com frequência, vale a pena repeti-la aqui porque ela se aplica muito a nós, mães.

> *Nós mães, talvez mais do que qualquer outra pessoa, precisamos valorizar e cultivar os dons únicos e as inclinações individuais que Deus nos deu.*

Nós mães, talvez mais do que qualquer outra pessoa, precisamos valorizar e cultivar os dons únicos e as inclinações individuais que Deus nos deu.

Isso pode fazer uma diferença tremenda não apenas para nós, mas para nossos filhos também.

Pense nisso na próxima vez que você pegar uma lata de tomates na sua despensa. Lembre-se da Sra. Habilidosa e de mim e diga a si mesma: "Fazer o que outra mãe faz (por mais que eu a admire) não dará certo se não for isso que Deus me criou para fazer".

Cuidado com a Inveja Social

Talvez você também queira se lembrar da minha história com os tomates quando estiver navegando pelos seus sites favoritos de redes sociais. Esses sites podem ser um grande local de procriação para a insegurança. De acordo com um pesquisador:

> [Eles] podem estimular uma inveja intensa e também podem afetar negativamente o quanto nos sentimos satisfeitos com a vida, porque nas redes sociais todos tentam aparecer na sua melhor forma, muitas vezes colocando somente imagens belas em seus perfis... Os *amigos* se tornam um grupo de referência com o qual a pessoa começa a comparar sua própria popularidade e sucesso — e isso leva facilmente uma pessoa a glorificar os outros e a colocá-los acima de si mesma, o que é a receita perfeita para os sentimentos de inveja.[7]

E não há apenas as redes sociais por trás da insegurança. Muitos outros fatores podem ser responsáveis também (incluindo a natureza humana). Mas o ponto principal é este: há uma epidemia de insegurança entre mães nos dias de hoje.

Como uma mãe cristã, no entanto, não tem de lidar com isso em sua vida. Você tem outra opção, porque a Bíblia diz sobre você:

> *Nenhuma arma forjada contra você prosperará, e toda língua que se levantar contra você em juízo você provará estar errada. Esta [paz, justiça, segurança, triunfo sobre a oposição] é a herança dos servos do* SENHOR...
>
> Isaías 54:17

---

[7] Fanny Jiminez, "Social Envy", 27 de janeiro de 2013, worldchurch.com. Internet, acesso em 9 de maio de 2013.

Observe que o versículo diz que a *segurança* faz parte da sua herança espiritual. Isso significa que nem o diabo nem ninguém tem o poder de fazer você se sentir insegura. Você herdou o direito, através do seu relacionamento com Cristo, de ser absolutamente segura de quem você é.

Nos dias em que não se sentir muito segura de quem Deus a criou para ser, lembre-se de que seus sentimentos não são a verdade sobre quem você é. A Palavra de Deus é a verdade absoluta, e ela diz que porque você é coerdeira com Jesus, tudo o que Ele tem, você tem. Jesus é uma pessoa segura, portanto você pode ser completamente segura nele.

Ouse crer nisso! Em vez de dar ouvidos à voz das suas emoções, concorde com o que a Palavra diz sobre você. Ouse dizer a Deus o mesmo que o salmista Davi: "*... por modo assombrosamente maravilhoso me formaste; as tuas obras são admiráveis, e a minha alma o sabe muito bem*" (Salmos 139:14).

Enquanto está fazendo isso, *não ouse* se comparar com ninguém — nem com as outras mães da igreja, nem com seus amigos das redes sociais, nem com as modelos das revistas com rostos maquiados e 0% de gordura corporal. Não diga: "Gostaria de ser como ela... ou de ter os talentos e as habilidades dela". Não desperdice sua vida desejando algo que você não tem. Abrace, ame e valorize a maneira como Deus a criou!

Ao fazer isso, você provavelmente descobrirá que as coisas de que menos gosta em si mesma são aquelas que Deus mais usa, quando parar de se sentir mal por causa delas. Na minha vida, por exemplo, minha voz acabou sendo um dos meus grandes bens. Por ela ser forte e transmitir autoridade, ela atrai a atenção quando prego. As pessoas a ouvem. Atualmente percebo que isso é uma bênção.

Uma bênção também é o fato de eu não gostar de cozinhar e de plantar tomates. Não tenho tempo para esse tipo de coisa. Vivo ocupada demais fazendo tudo o que Deus me deu para fazer.

Ah, como a vida pode ser muito mais divertida quando entendemos isso. Deus nos criou diferentes de propósito! Ele quer que celebremos essas diferenças, e não que choremos por elas. Com certeza, algumas pessoas vão criticar nossa singularidade. De tempos em tempos, outras mães podem questionar as escolhas que fazemos e a maneira como criamos nossos filhos. Mas se quisermos ter a paz e a alegria de Deus, não podemos perder o nosso tempo tentando agradar as pessoas.

Precisamos descobrir qual é o plano de Deus para nós, e para nossos filhos, e segui-lo.

Um dia, uma mãe me procurou para orar durante uma de minhas conferências. Ela estava chorando, e quando lhe perguntei o que havia de errado, ela me disse que todos na sua cidade ensinavam seus filhos em casa. "Eles acham que este é o único caminho", disse ela "mas não tenho o mínimo desejo ou talento para fazer isso. Eu detesto isso! Sei que se colocar meus filhos em uma escola pública ou mesmo em uma escola cristã, as outras mães vão me criticar e fazer fofoca a meu respeito. O que devo fazer?"

A esta altura, você já sabe como respondi. "Seja você mesma. Seja a mãe que Deus a criou para ser. Use os dons que Ele lhe deu, e siga a sua inclinação individual e única. Não tente seguir o programa de ninguém. Siga o programa de Deus".

É claro que você talvez tenha de trabalhar duro para se lembrar desse conselho no que se refere a aplicá-lo a seus filhos. Principalmente se um ou dois deles por acaso forem pequenos "gansinhos" independentes, que não pensam e agem como você. Como a mamãe ganso descobriu no meu quintal, não é fácil criar um filho que tem uma personalidade que é o extremo oposto da sua. Mas esse desafio em geral faz parte da aventura da maternidade.

Por exemplo, eu tenho o que muitas pessoas consideram uma personalidade *colérica*. As pessoas coléricas são motivadas principalmente pela realização. Tendemos a ser muito voltadas aos objetivos, muito produtivas, sérias, mandonas, teimosas e contundentes. Minha filha Laura não era muito motivada, tirava más notas na escola e, na minha avaliação, era desleixada com seus pertences pessoais. É desnecessário dizer que ela e eu tivemos muitas discussões acaloradas que envolveram o fato de eu tentar fazer com que ela fosse como eu, mas agora entendo que na metade do tempo ela provavelmente nem entendia do que eu estava falando. Por causa das diferenças entre as nossas personalidades, víamos as coisas de formas diferentes e nossas motivações na vida eram o extremo oposto. Eu florescia nas realizações e ela florescia no relaxamento. Eu me importava com cada pequeno detalhe da aparência das coisas, e ela nem sequer prestava atenção a isso. Agora, sendo uma mulher adulta com quatro filhos, ela não apenas se sai muito bem com sua própria família, como me ajuda com muitos dos detalhes da minha vida. Os filhos crescem, e criando-os da forma adequada e com muita ajuda de Deus, eles aprendem a usar seus pontos fortes e a disciplinar seus pontos fracos.

Meu filho David era muito teimoso e obstinado e, naturalmente, entrávamos em choque porque eu também era assim. Quando duas pessoas voluntariosas querem as coisas do seu jeito, alguém vai ficar infeliz. Sandy era uma perfeccionista e Danny era um amante da diversão, muito cheio de energia e sanguíneo, de modo que, com nossos quatro filhos sendo muito diferentes e eu não entendendo ainda como ajudá-los a ser quem eles eram, tivemos alguns anos de frustração. Estou certa de que assim como eu, você já olhou para seus filhos e pensou: *De que planeta eles vieram?* Às vezes é difícil entender o quanto eles são diferentes, mas é muito importante aprendermos a aceitar nossos filhos por quem eles são e ajudá-los a ser tudo o que Deus pretende que eles sejam, e não pressioná-los a ser o que queremos que sejam.

Pela graça de Deus, finalmente aprendi uma lição importante com as experiências que tive com eles: nunca é uma boa ideia comparar um filho com o outro. Nunca é sábio pensar ou dizer algo do tipo: "Por que você não pode ser mais como fulano de tal?" Essas críticas podem levar a coisas como um coração partido, lágrimas, rebelião e insegurança.

Portanto, não ouse fazer comparações. Não os compare uns com os outros ou consigo mesma. Ouse treinar seus filhos para que sigam seus dons ou inclinação pessoal. Ainda que marchem em um ritmo diferente, permita que eles sejam bons em ser quem Deus os criou para ser.

Seja você mesma. Seja a mãe que Deus a criou para ser. Use os dons que Ele lhe deu, e siga sua inclinação única e individual. Não tente seguir o programa de ninguém. Siga o programa de Deus.

CAPÍTULO 12

O Que Você Está Dizendo?

Quando vi meu filho andando em direção ao carro depois da aula, eu soube que a prova não havia sido boa. De ombros caídos, com lágrimas margeando seus olhos, ele parecia o retrato da derrota. Escorregando para o banco do carona, ele bateu a porta e entregou-me a prova. Pude ver em um relance a letra *F* brilhando em vermelho no alto da página.

"Mamãe, o que mais posso fazer?" ele gritou. "Tentei de tudo. Fiz o meu melhor. Mas continuo fracassando".

Meu coração se partiu por ele, mas seu pai e eu já não sabíamos mais como ajudar. Fazíamos com ele o dever de casa noite após noite. Estudamos com ele para as provas. Fizemos e refizemos questionários sobre a matéria até ele responder a todas as perguntas com perfeição. Mas quando ele chegava na escola, as respostas fugiam de sua mente.

Por dois meses, suas notas haviam caído de forma vertiginosa e desastrosa. Os *Ds* e os *Fs* haviam se tornado o padrão das notas dele.

Embora eu pedisse ao Senhor seguidamente para intervir, minhas orações não pareciam funcionar. Então, quando chegamos em casa, depois de encorajar meu filho mais uma vez, fiquei a sós e orei novamente. "Esta situação não faz sentido, Senhor. Não sei como resolver isto. Simplesmente não sei como mudar esta situação!"

Não tive de esperar muito por uma resposta. Quase que instantaneamente, ouvi Sua voz soando em meu coração.

"Chame à existência as coisas que não existem como se já existissem", Ele disse. "Pare de repetir o problema e comece a declarar a solução de acordo com Minha Palavra!"

Antigamente havia um comercial nos Estados Unidos no qual as pessoas batiam na testa quando percebiam que haviam escolhido a bebida errada. Foi o que tive vontade de fazer quando ouvi a resposta do Senhor. Quis bater na testa e dizer: "O que estou fazendo? Eu podia estar esse tempo todo declarando a Palavra de Deus sobre meu filho!"

Afinal, Deus havia me ensinado havia anos o poder que há em nossas palavras. Eu podia recitar de cor versículos como:

- *A morte e a vida estão no poder da língua... (Provérbios 18:21).*
- *Do fruto das suas palavras o homem se satisfará com o bem... (Provérbios 12:14).*
- *O bom homem come do fruto de sua boca... (Provérbios 13:2).*
- *... Aquele que diz... e não duvida em seu coração, mas crê que aquilo que fiz será feito, terá tudo o que disser (Marcos 11:23).*

- *Porque aquele que quiser desfrutar a vida e ver dias bons... guarde a sua língua do mal e os seus lábios de falarem dolosamente (1 Pedro 3:10).*

Por alguma razão, porém, não havia me ocorrido aplicar esses versículos à situação de meu filho. Como resultado disso, estava anulando minhas próprias orações. Eu orava para que as notas dele aumentassem, mas depois eu voltava a falar sobre o problema. Eu me sentava e conversava com Dave sobre isso à noite. Eu ia tomar café com minha melhor amiga e dizia coisas do tipo "Nada do que fazemos para ajudar faz diferença. Nosso filho continua tirando notas muito baixas!"

É claro que eu não fazia esses comentários negativos quando meu filho estava por perto, de modo que ele não os ouvia. Mas o diabo ouvia, e ele os usava como permissão para perpetuar o problema. Assim, todas as vezes que falava no assunto, eu cavava o buraco ainda mais fundo e tornava ainda mais difícil para meu filho sair dele. Eu realmente usava as minhas palavras para piorar a situação. Ele estava tendo tanta dificuldade que desenvolveu um medo de fracassar, e assim, entre o medo dele e a minha confissão negativa, estávamos condenados a continuar repetindo o ciclo do fracasso — a não ser que alguma coisa mudasse.

Felizmente, o Senhor me despertou para o que eu estava fazendo. Ele abriu meus olhos para o tremendo poder que eu podia liberar se parasse de usar minhas palavras para impedir meu filho e começasse a usá-las para ajudá-lo.

Dizendo-me para *"chamar à existência as coisas que não existem como se elas existissem"*, Ele me lembrou de Abrão no Antigo Testamento.

Se Abrão não tivesse chamado à existência as coisas que não existem como se existissem, seu filho não teria sequer nascido!

Se você leu essa história na Bíblia, sabe o que quero dizer. Abrão e sua mulher estéril oraram e ouviram promessas de Deus sobre seus descendentes por muitos anos, mas eles permaneceram sem filhos enquanto continuaram a repetir as mesmas velhas palavras de sempre. Quando ambos tinham mais de noventa anos, porém, Deus arrancou deles seu velho discurso. Ele disse a Abrão:

> ... *Você será o pai de muitas nações. O seu nome não será mais Abrão [pai alto, exaltado]; mas o seu nome serão Abraão [pai de multidões], pois eu o constituí por pai de muitas nações.*
>
> Gênesis 17:4-5

Daquele dia em diante, as palavras do casal mudaram. Apesar das evidências contrárias, eles começaram a chamar Abrão de *Abraão, o Pai de multidões*. A princípio, isso provavelmente lhes pareceu estranho (e para todos os amigos e parentes deles também), mas eles ainda assim permaneceram firmes. Eles diziam constantemente acerca de si mesmos o que Deus havia dito... e finalmente se tornaram pais!

O Efeito Dominó

Essa é uma história bíblica da qual todas as mães precisam lembrar! Ela revela o grande efeito que aquilo que dizemos exerce sobre nossos filhos — não apenas antes deles nascerem, como no caso de Abraão, mas também enquanto estão crescendo.

A Bíblia é clara a este respeito: por causa da autoridade espiritual que Deus nos deu sobre a vida dos nossos filhos, as palavras que dizemos a respeito deles podem abençoá-los ou prejudicá-los. A autoridade paterna e materna é algo poderoso! A maneira como a usamos exerce um efeito transformador sobre nossos filhos e netos por gerações futuras. Em Êxodo 20:5-6, Deus colocou isso nos seguintes termos:

> *Por causa da autoridade espiritual que Deus nos deu sobre a vida de nossos filhos, as palavras que dizemos a respeito deles podem abençoá-los ou prejudicá-los.*

> ... *Eu o Senhor teu Deus sou um Deus zeloso, que visito a iniquidade dos pais nos filhos até a terceira e quarta geração daqueles que me odeiam, mas que demonstro misericórdia e amor firme até mil gerações daqueles que me amam e guardam os meus mandamentos.*

Não me importo em admitir que esses versículos costumavam me incomodar. Parecia injusto que Deus permitisse que as futuras gerações sofressem por causa das escolhas erradas de seus pais. Principalmente por ter sofrido abuso quando criança, eu não entendia isso.

Quando busquei ao Senhor para entender melhor esse princípio, Ele me mostrou que quando originalmente ordenou Seu sistema de autoridade, Sua intenção era que ele cooperasse para o nosso bem. Ele pretendia que os pais usassem sua autoridade para enriquecer a vida de seus filhos e para fazer com que as sucessivas gerações se voltassem para Ele. Mas por honrar o livre arbítrio, Deus também permite que cada pai e mãe escolha o que vai fazer.

Se escolhermos mal e nos rebelarmos contra as instruções que Deus nos dá em Sua Palavra, não seremos os únicos que sofrerão as duras consequências; nossos filhos, netos e bisnetos também sofrerão. Esse é o lado negativo da autoridade paterna e materna. E é algo muito sério.

Mas também há um lado positivo nisso, que é muito mais poderoso.

Se escolhermos amar e obedecer ao Senhor, podemos igualmente *reverter* as inclinações negativas que tiveram início com nossos pais e avós quando eles fizeram escolhas ímpias. Podemos dar início a um efeito dominó que trará a influência santa e amorosa de Deus para nossa família por mil gerações futuras.

Todos os filhos eventualmente terão de escolher por si mesmos se seguirão a Deus ou não, mas se os criarmos em um ambiente cheio de Deus, isso terá um grande efeito sobre a decisão deles. Se ensinarmos a eles sobre o Senhor e permitirmos que Eles nos vejam viver de uma forma que revela a eles Seu caráter, se exercermos a autoridade espiritual que Deus nos deu declarando palavras de fé sobre nossos filhos de acordo com a Bíblia, eles se tornarão receptivos ao Senhor ainda em tenra idade.

Não há como estimar a influência de uma mãe que teme ao Senhor, que declara a Palavra de Deus sobre seus filhos.

Pense sobre o jovem discípulo Timóteo em Atos capítulo 16. Timóteo era o filho de uma mulher judia que era crente (v. 1). Embora seu pai fosse um grego não salvo, Timóteo finalmente se tornou um líder forte da igreja primitiva. Por quê? Porque, como o apóstolo Paulo escreveu a ele em 2 Timóteo 1:5: "... *a fé genuína que... habitou primeiro em sua avó Lóide e em sua mãe Eunice... está também em você*".

Observe que no caso de Timóteo, foram sua mãe e sua avó que trouxeram a influência de Deus para o lar. Não havia um pai cristão para ajudar. A mãe de Timóteo era casada com um incrédulo. Mas na família de Timóteo, o que Paulo escreveu em 1 Coríntios 7:13-14 provou ser verdade:

> *E, se uma mulher tem marido descrente, e ele se dispõe a viver com ela, não se divorcie dele. Pois o marido descrente é santificado por meio da mulher, e a mulher descrente é santificada por meio do marido. Se assim não fosse, seus filhos seriam impuros, mas agora são santos.*

Se você tem um marido que não está vivendo para o Senhor, que isto lhe sirva de consolo: as trevas nunca podem vencer a luz. Ainda que seu cônjuge esteja dando um exemplo ímpio diante de seus filhos, à medida que você continuar a fazer as coisas do jeito de Deus, sua influência finalmente prevalecerá e fará a diferença para seus filhos.

Estou dizendo que eles seguirão a Deus todas as vezes, infalivelmente?

Não, não estou. Nenhum pai ou mãe — independentemente do quanto sua influência possa ser maravilhosa — tem essa garantia. Afinal, Deus foi o Pai perfeito e Seu filho, Adão, se rebelou contra Ele. No fim, porém, Deus endireitou as coisas, até mesmo para Adão. E em quase todos os casos, podemos fazer o mesmo com nossos filhos tomando uma posição firme na Palavra, mantendo uma atitude positiva e (ainda que as coisas fiquem um pouco caóticas e feias por algum tempo) continuando a crer que se treinarmos nossos filhos no caminho que eles devem seguir, *quando forem velhos* não se desviarão *dele* (ver Provérbios 22:6).

Coloque Suas Palavras em Ação

Lembrei-me do dia em que Deus falou comigo sobre as notas de meu filho, que treinar nossos filhos no caminho de Deus envolve declarar palavras de fé sobre eles. Na verdade, essa é das nossas principais responsabilidades como mães. Fomos chamadas por Deus para abençoar nossos filhos e não amaldiçoá-los. E na Bíblia, a palavra hebraica traduzida por "abençoar" significa *falar bem de*; e a palavra amaldiçoar significa *falar mal de*.

Nunca esquecerei o que Dave me disse a esse respeito. Estávamos discutindo sobre o que acontece quando os pais falam negativamente sobre seus filhos e ele me disse algo que nunca havia me dito antes.

Ele disse que nos primeiros anos do nosso casamento, quando eu era tão dura, ríspida e difícil de conviver, Deus deixou claro para ele que se saísse por aí contando meus problemas para as pessoas, a obra que Deus queria fazer em mim seria prejudicada. Dave soube em seu coração que isso era verdade, embora nunca tivesse ouvido nenhum ensinamento com base na Bíblia sobre o poder das palavras. Então ele decidiu manter a boca fechada.

"Joyce", ele disse, "às vezes a maneira como você agia e as coisas duras que dizia me feriam tanto que eu tinha de ir para algum lugar sozinho e chorar. Mas eu nunca disse nada a ninguém sobre isso. Apenas continuei crendo que Deus completaria a boa obra que Ele havia começado em você e a ajudaria a se tornar a mulher que Ele me mostrou que você um dia seria".

Imagine como seria fácil para Dave naqueles dias ir até sua mãe, ou sua irmã (que morava bem debaixo de nós) e contar a elas o desastre que eu era! Mas ele não fez isso. E serei grata para sempre porque, se ele o tivesse feito, não sei se eu seria a mulher que sou hoje. Dave tem tanta convicção disso que ele acredita que uma das coisas mais desastrosas que as mães e os pais podem fazer quando estão tendo problemas, seja entre eles ou com seus filhos, é falar sobre esses problemas com outras pessoas.

Não pretendo ser pouco realista, pois sei que há uma medida de equilíbrio nessa questão. Haverá momentos em que você, como mãe, achará necessário discutir com outras pessoas uma dificuldade que seu filho possa estar tendo. Talvez precise conversar sobre o problema com seu marido, seu pastor ou com uma professora na escola para garantir que seu filho receba a ajuda e o apoio que ele precisa.

Mas mesmo em meio ao caos, você pode falar sobre os problemas de forma positiva. Você pode abençoar seus filhos em meio às dificuldades vividas por eles fazendo declarações de fé que se fundamentam, não nos problemas que eles estão atravessando, mas em versículos como estes:

Como é feliz o homem que teme o Senhor e tem grande prazer em seus mandamentos! Seus descendentes serão poderosos na terra, serão uma geração abençoada, de homens íntegros.
Salmos 112:1-2, NVI

Por isso, tenho certeza de que as famílias dos teus servos viverão em segurança e as gerações futuras viverão em perfeita paz na tua presença.
Salmos 102:28, ABV

E todos os seus filhos [espirituais] serão discípulos [ensinados pelo Senhor e obedientes à Sua vontade], e grande será a paz e a tranquilidade imperturbável dos teus filhos.
Isaías 54:13

Mas o amor leal do Senhor, o seu amor eterno, está com os que o temem, e a sua justiça com os filhos dos seus filhos.

Salmos 103:17

Mas assim diz o Senhor: Por certo que os presos se tirarão ao valente, e a presa do tirano fugirá, porque eu contenderei com os que contendem contigo e salvarei os teus filhos.

Isaías 49:25, ARA

Fico feliz em dizer que uma vez tendo o Senhor me lembrado essas passagens da Bíblia e me dito para chamar à existência as coisas que não existem como se elas existissem, comecei a fazer esse tipo de declaração a respeito das notas do meu filho. Aplicando-as especificamente à situação dele, comecei a dizer: "Ele tira boas notas. Ele tira As e Bs".

O que aconteceu?

Minhas palavras começaram a operar e, dentro de pouco tempo, as coisas mudaram. As notas dele começaram a melhorar, e embora não fossem perfeitas, ficaram muito melhores. Quando ia pegá-lo na escola, ele não estava mais abatido e temeroso. Uma coisa é certa: fazer um comentário negativo sobre seus filhos tem o potencial de magoá-los e de tornar a situação pior, mas as palavras positivas e cheias de fé nunca ferem ninguém e têm grande probabilidade de ajudar em qualquer situação.

CAPÍTULO 13

Moldando a Vida do Seu Filho

Certa vez dei um seminário intitulado *Moldando as Vidas de Seus Filhos*. Durante uma das palestras, fiz esta pergunta à plateia: Quantos de vocês foram disciplinados por seus pais de uma maneira saudável e equilibrada quando crianças? Poucas mãos se levantaram.

Olhando para aquele grupo, me dei conta de que muitos pais cristãos maravilhosos têm pouca confiança em sua capacidade de disciplinar seus filhos porque não tiveram um bom exemplo. Eles não querem tomar o mesmo caminho que seus pais tomaram, mas não sabem como encontrar um caminho melhor.

Sei o que é isso. No que se refere a disciplinar meus filhos nos meus primeiros anos como mãe, estava completamente perdida. Em um momento, era rígida demais com eles por causa da minha personalidade forte e mandona. No instante seguinte, eu os sufocava com uma avalanche de aprovação porque tinha medo de feri-los como meu pai me feriu. Eu falava sem cessar sobre o quanto sentia muito por ter de corrigi-los até que, tenho certeza, eles chegavam a ponto de desejar que eu parasse de falar e apenas terminasse logo com a correção.

Tive um exemplo muito negativo por parte dos meus pais quando era criança, e não comecei fazendo tudo certo, mas à medida que o Senhor continuou a me ajudar, descobri quatro verdades bíblicas que começaram a me mover na direção certa. E embora nunca tenha afirmado ser uma especialista neste assunto, creio que estas verdades a ajudarão também, à medida que você trilhar a estrada, às vezes acidentada, de disciplinar seus filhos.

1. Lembre-se, Antes de Tudo, de que Disciplina é Amor

Como mães, precisamos pensar sobre isto até estarmos confortáveis com a ideia: o amor genuíno nem sempre é doce, manso e grudento. Ele também tem um lado duro — um lado que inicialmente não é agradável para nossos filhos, mas que gera grandes benefícios mais tarde em suas vidas.

As crianças precisam desse tipo rígido de amor tanto quanto do tipo caloroso e carinhoso, mas, infelizmente, muitas mães hesitam em dá-lo. Às vezes (como no meu caso) isso acontece porque elas foram tratadas de forma muito dura quando eram pequenas e não querem que seus filhos sintam a mesma dor. Em outros casos, é porque são inseguras e têm medo de que seus filhos fiquem zangados e as rejeitem. E muitas vezes, é simplesmente porque ser rígido, ainda que com amor, nunca é divertido — para ninguém.

A maioria de nós descobriu isso nas primeiras vezes que levamos nossos filhos pequenos ao mercado. Quando empurrávamos o carrinho pelo corredor dos biscoitos e nosso filhote começou a gritar — querendo que déssemos a ele um pacote de biscoitos para comer *agora!* — tivemos de fazer uma escolha. O que fazer?

Iríamos dizer "não" e nos arriscar a ter de lidar com um chilique daqueles em público, com os outros clientes olhando para nós? Iríamos tolerar a inconveniência de carregar uma criança pequena chutando e gritando de volta para o carro para aplicar ali a correção que sabíamos que ela precisava? Ou iríamos simplesmente ceder às exigências dela?

Todas nós, algumas vezes, fomos dolorosamente tentadas a escolher a última alternativa. Afinal, não queremos ver nossos filhos chorarem. Também não queremos passar por uma experiência disciplinar difícil que faça com que *nós* tenhamos vontade de chorar. Mas mesmo assim, podemos dominar nossas emoções e fazer a coisa certa se lembrarmos que, ao fazer isso, estamos seguindo o exemplo de Deus. Estamos amando nossos filhos assim como Ele nos ama.

> *... porque o Senhor corrige a quem ama e açoita a todo filho a quem recebe.*
>
> Hebreus 12:6, ARA

Quando deixamos de disciplinar nossos filhos, estamos na verdade deixando de amá-los. Poupando-os (e a nós mesmos) do desconforto temporário envolvido em lidar com

o mau comportamento deles no presente, estamos predis-
pondo-os para uma dor maior no futuro. Estamos ensinando
nossos filhos pequenos, por exemplo, que eles nunca devem
ter de esperar por nada
pois, fazendo exigências e
manha, eles podem rece-
ber imediatamente o que
desejam.

> *Dê a seus filhos não
> apenas o lado terno, mas
> também o lado rígido do
> amor.*

Essa lição lhes custará
muito caro nos anos que
virão.

Garanta que seus filhos não tenham de pagar esse preço.
Faça o que for melhor para eles. Dê a seus filhos não apenas
o lado terno, mas também o lado rígido do amor.

E quando você for tentada a não fazê-lo porque é difícil,
lembre-se de que a Bíblia diz:

> *No momento presente, nenhuma disciplina gera alegria, mas
> parece dolorosa e penosa; mas depois ela rende um fruto de
> justiça pacífico para aqueles que foram treinados por ela
> [uma colheita de frutos que consistem na justiça — em con-
> formidade com a vontade de Deus em propósito, pensamento
> e ação, resultando em uma vida reta e em uma posição cor-
> reta diante de Deus].*

Hebreus 12:11

Todas queremos que nossos filhos gostem de nós e
pensem que somos incríveis, mas nem sempre é possível

sermos suas mães e melhores amigas ao mesmo tempo. Se você tiver de escolher, certifique-se de escolher criar seus filhos da maneira adequada, e então a amizade virá no tempo certo.

2. Discipline com Ação e não com Emoção

As mulheres em geral, e as mães em particular, tendem a ser criaturas emocionais. De muitas formas isso é algo maravilhoso. Essa característica nos ajuda a sermos sensíveis aos sentimentos dos nossos filhos para poder dar a eles um abraço a mais ou uma palavra de encorajamento quando precisam. Também faz com que sejamos ótimas em beijar joelhos ralados e em consolar corações pequeninos partidos pelas primeiras paixões.

Mas no que se refere à disciplina, emoções podem ser um problema.

Não entendia isso quando era uma jovem mãe. Quando meus filhos desobedeciam e precisavam ser castigados, achava que precisava ficar no mínimo um pouco brava com eles. Então eu gritava e ficava irritada por algum tempo. Eu presumia que minha ira os motivaria a mudar de comportamento.

Isso não acontecia, é claro, e há uma razão bíblica para isso: *"Porque a ira do homem não promove a justiça de Deus [que Ele deseja e exige]"* (Tiago 1:20). Assim como nenhum outro tipo de explosão emocional. Portanto, a disciplina eficaz é feita em forma de ação, e não de emoção.

> *Portanto, a disciplina eficaz é feita em forma de ação, e não de emoção.*

Meu marido, Dave, diferentemente de mim, parecia entender isso desde o instante em que nos tornamos pais. Talvez fosse porque, por ser homem, ele é menos emocional. Ou talvez fosse porque ele era mais maduro espiritualmente que eu naquela época. Mas seja qual for a razão, ele raramente deixava que seus sentimentos interferissem quando disciplinava nossos filhos.

Em vez disso, ele se sentava calmamente ao lado deles e lhes explicava o que haviam feito de errado. Ele lhes mostrava na Palavra por que o comportamento deles não era aceitável. Então lhes dizia que consequências ele iria impor. "Porque você fez isto, você não vai poder ir ao cinema com seus amigos esta noite", ele dizia. Depois os abraçava, dizia que os amava, e aquele era o fim da conversa.

Embora eles nem sempre ficassem felizes com a decisão do pai, funcionava muito bem. Mas por alguma razão não me ocorria seguir o exemplo dele. Precisava que Deus me revelasse isso de maneira pessoal. E nunca me esquecerei de quando aconteceu. Eu estava estudando o que a Bíblia tem a dizer sobre disciplina e dois versículos em particular chamaram a minha atenção. Um deles era Salmos 119:7, onde Davi disse:

> *Eu te louvarei e te darei graças com retidão de coração quando aprender [por experiências santificadas] os Teus*

*retos juízos [as Tuas decisões e punições contra linhas espe-
cíficas de pensamento e de conduta].*

O outro versículo foi Provérbios 19:18, que diz:

*Discipline seu filho enquanto há esperança, mas não [deixe
que o seu ressentimento irado o castigue indevidamente] a
ponto de matá-lo.*

Quando juntei essas duas passagens da Bíblia, vi claramente pela primeira vez que Deus não queria que eu disci-
plinasse meus filhos com emoção. Ele queria que eu fosse
clara, justa e voltada para a ação. Ele queria que eu desse a
eles *experiências santificadas* que os ajudariam a aprender o
que é certo.

Praticamente ao mesmo tempo em que recebi essa revelação, meu filho Danny me deu a oportunidade de colocá-la
em prática. Ele pegou uma bola de tênis emprestada de sua
irmã e, em vez de devolvê-la, ele a perdeu. Ela reclamou
comigo sobre isso e tive de decidir o que fazer.

Desta vez, em vez de reagir com irritação ou com qualquer outro tipo de sentimento, parei, orei e pensei em que
atitude devia tomar. Quando fiz isso, percebi que a bola
de tênis perdida representava uma fraqueza no caráter de
Danny. Perder coisas (principalmente quando não eram
suas) havia se tornado um padrão para ele. Ele não havia
aprendido a importância de cuidar das coisas dos outros.

Sabia que não era o melhor para ele permitir que ele continuasse a ter esse padrão de comportamento, então decidi quais seriam as consequências. Fui até o quarto dele para informá-lo sobre essas consequências. De forma calma e pacífica, disse a ele que a Bíblia nos ensina que devemos tratar os outros assim como queremos ser tratados e que ele precisava fazer isso cuidando das coisas dos outros quando as pedia emprestado. Então disse que por ele não ter feito isso com a bola de tênis de Sandy, ele não teria autorização para sair para pescar por uma semana.

A pesca era um dos maiores prazeres de Danny naquela época, então o castigo doeu. Mas esse era o ponto. Queria que ele sentisse dor suficiente para se lembrar disso e se sentir motivado a mudar de comportamento.

No passado, eu teria sentido pena dele nessa situação. Teria tido compaixão dele e falado firmemente com ele por uma hora sobre o quanto gostaria de não ter de puni-lo... E como só estava fazendo aquilo para o bem dele... E como esperava que ele entendesse meu coração... E que aquilo machucava mais a mim do que a ele... E tudo o mais que me viesse à mente. Então, muito provavelmente, eu teria cedido depois de dois dias e deixado que ele fosse pescar antes que a semana terminasse. Em outras palavras, a correção que eu teria dado a ele teria sido fruto da minha emoção, e depois, por causa das emoções, eu o teria liberado antes do tempo.

Desta vez, porém, eu disse simplesmente: "Amo você", e me virei para sair do quarto, sabendo no fundo do meu coração que ele não iria pescar por uma semana.

Antes que eu chegasse à porta, Danny me interrompeu e disse: "Mamãe, obrigado por me corrigir".

Soube imediatamente que não era apenas ele falando. Era o Senhor falando comigo através das palavras do meu filho. Era Deus dizendo: "Bom trabalho, Joyce! Você finalmente entendeu!"

Estou certa de que toda a família ficou satisfeita por eu ter entendido.

3. Foque no que Agrada a Deus, e Não nas Suas Preferências Pessoais

Eis algo que nós mães facilmente esquecemos: a verdadeira disciplina tem a ver com ensinar nossos filhos a agradar a Deus; não com ensiná-los a nos agradar.

Portanto, antes de criarmos regras e tentarmos colocá-las em prática, devemos ter certeza de que essas regras se baseiam na Palavra e não apenas nas nossas preferências pessoais. Do contrário, nossos filhos acabarão ressentidos com elas e as regras promoverão rebelião em vez de temor a Deus.

Tive uma prova disso com minha filha Laura. Quando criança, o entendimento dela a respeito de limpeza e ordem não era nada parecido como o meu. Mesmo depois que ela achava que havia

> A verdadeira disciplina tem a ver com ensinar nossos filhos a agradar a Deus; não com ensiná-los a nos agradar.

feito um trabalho satisfatório limpando seu quarto, para mim parecia que uma bomba havia explodido ali dentro. Então estava sempre tendo problemas com ela por causa da bagunça que ela fazia pela casa. Tive algumas pequenas guerras com ela, não porque ela de fato fizesse muitas coisas erradas, mas porque gosto de tudo limpo e arrumado o tempo todo, e queria que ela me agradasse.

Para ser sincera, eu costumava bater na mesma tecla com todos os meus outros três filhos sobre deixar tudo sempre limpo. Eu dizia constantemente: "Recolham seus brinquedos! Vão se limpar!" Não porque haja nada de biblicamente errado em ter brinquedos no chão de vez em quando, ou em ter o cabelo despenteado, mas porque eu, pessoalmente, detestava a desordem e a sujeira.

Minha atitude era particularmente dura com minha filha Laura porque ela nem ao menos se dava conta da bagunça que estava me deixando irritada. Laura acabou passando por um breve tempo de rebelião no colegial, e embora isso talvez tivesse acontecido de qualquer forma, estou certa de que a tensão em nosso relacionamento não ajudou. Ela simplesmente começou a andar com alguns jovens que não eram boa influência para ela; e por algum tempo fiquei muito preocupada. Entretanto, pelo fato de que não tínhamos um relacionamento dos melhores, eu não tinha muita credibilidade com ela para lhe dar conselhos.

Isso aconteceu há muito tempo, é claro, e hoje nosso relacionamento é maravilhoso. Agora que ela precisa arrumar a bagunça feita pelos seus filhos adolescentes, estou certa de que ela lhe diria que deveria ter sido mais organizada e menos rebelde naquela época. Mas olhando para trás, posso ver que fiz a minha parte e contribuí para a teimosia dela também. Teria sido mais sábio dar mais espaço a ela e ter em mente as instruções de Efésios 6:4: "*Não provoquem seus filhos sendo duros demais com eles. Tratem de segurá-los pela mão para guiá-los no caminho do Senhor*" (A Mensagem).

Em outras palavras, eu poderia ter poupado tanto Laura quanto a mim mesma de alguns problemas desnecessários se tivesse focado mais em ajudá-la a aprender a agradar Jesus e menos em forçá-la a me agradar.

4. Mantenha Seus Filhos Sob Controle — sem Ser Controladora

O conceito de manter os filhos sob controle talvez não seja popular nos dias de hoje, mas é muito importante para Deus. A Bíblia conta sobre um pai que descobriu isso da maneira mais difícil. Ele era um sacerdote judeu chamado Eli. Nos dias do Antigo Testamento, ele ministrava no templo juntamente com seus dois filhos, e definitivamente não os mantinha sob controle. Como resultado disso, eles passaram a se comportar de maneira inaceitável. Eles enganavam os adoradores quando estes levavam suas ofertas ao Senhor e cediam à luxúria com as mulheres que iam ao templo.

Com o tempo, o Senhor esgotou sua paciência com a situação. Ele criticou Eli e disse: "*Punirei a sua casa para sempre pela iniquidade sobre a qual ele sabia, pois seus filhos estavam trazendo maldição sobre si mesmos [blasfemando a Deus], e ele não os repreendeu"* (1 Samuel 3:13).

Para mim, esse era um versículo incompreensível. Ele parecia contradizer outra passagem da Bíblia que diz que Eli de fato falou com seus filhos sobre o mau comportamento deles, mas eles não lhe deram ouvidos. Um dia, perguntei ao Senhor sobre isso. Eu disse: "Senhor, se Eli repreendeu seus filhos, por que ele foi julgado?"

Como resposta, o Senhor me indicou que tudo o que Eli fez foi falar. Ele não tomou nenhuma atitude. Como sacerdote a cargo do ministério no templo, ele poderia tê-los removido de suas posições e retirado deles sua autoridade. Mas ele não o fez. Foi por isso que Deus o considerou parcialmente responsável pelos pecados deles.

Obviamente, pelo fato de que a família de Eli estava no ministério, essa era uma situação especialmente grave, então Deus teve de lidar com ela de forma severa. Isso também aconteceu na Velha Aliança, que se baseava na lei, ao passo que a Nova Aliança se baseia na graça recebida por meio de Cristo. Mas ainda assim, posso me identificar com a situação difícil de Eli. Uma vez que supervisiono um ministério e meus filhos trabalham para mim, posso imaginar o quanto seria terrível ter de despedir um de meus filhos devido a um comportamento ímpio. Seria muito doloroso e estou certa de que também seria constrangedor.

No entanto era isso que Deus exigia de Eli — o que mostra o quanto Ele leva a sério manter nossos filhos sob controle.

Felizmente, nenhuma de nós jamais terá de enfrentar o que Eli enfrentou. Mas podemos aprender com ele. Podemos garantir que façamos mais do que simplesmente falar com nossos filhos sobre o que eles fazem de errado.

É importante entendermos, porém, que manter nossos filhos sob controle não significa que devemos ser controladoras. Pais controladores trazem à tona o pior em seus filhos. Eles dominam seus filhos de tal maneira que acabam despertando neles as chamas da rebelião, ou tornando seus filhos tão dependentes a ponto de nunca crescerem de verdade.

Uma das maneiras de fazer isso é lembrar que você não é a única pessoa envolvida em moldar a vida de seus filhos.

Talvez você diga: "Mas Joyce, como encontrar o ponto de equilíbrio? Como manter meus filhos sob controle sem ser controladora?"

Uma das maneiras de fazer isso é lembrar que você (e seu marido) não é a única pessoa envolvida em moldar a vida de seus filhos. Deus também está envolvido, e seu filho também. Cada participante tem um papel a exercer.

Como mãe (ou pai), sua parte é orar por seus filhos e ensinar-lhes o que a Bíblia diz sobre como viver, estabelecer diretrizes para eles seguirem, determinar quais serão as consequências se eles desobedecerem e colocar as consequências em prática quando necessário. A parte de Deus é trabalhar no coração dos seus filhos e ajudá-los a mudar suas atitudes interiormente. A parte da criança é escolher o que ela vai fazer.

Os pais entram em desequilíbrio quando tentam administrar todas as três partes desse processo sozinhos. Você pode evitar cometer esse erro fazendo apenas a sua parte, confiando em Deus para fazer a dele, e permitindo que seu filho escolha mudar seu comportamento ou sofrer as consequências.

Outra maneira de ajudar a manter um equilíbrio saudável é dar progressivamente a seus filhos mais autoridade e responsabilidade sobre suas próprias vidas. Pouco a pouco, à medida que eles crescerem, comece a permitir que eles tomem algumas de suas próprias decisões. Não tente controlar cada movimento deles até que eles tenham vinte anos e então de repente largue-os sozinhos por conta própria. Eles não vão estar prontos. Não terão desenvolvido as habilidades que necessitam para tomar decisões por conta própria.

Talvez você pergunte: "Mas e se eles fizerem escolhas erradas? E se decidirem usar roupas malucas para ir à escola ou fazer um corte de cabelo esquisito? Isso poderia afetar a opinião dos outros a respeito deles. Não devo intervir para o próprio bem deles?"

Não necessariamente. Muitas vezes, as crianças precisam tomar algumas decisões erradas para poderem aprender por si mesmas como resolver as coisas. E às vezes, elas só precisam exatamente da liberdade para expressar sua própria personalidade e desfrutar suas próprias preferências únicas.

Tive de aprender isso quando Danny era adolescente. Eu estava dando a ele mais autoridade sobre sua própria vida, deixando que ele fizesse suas próprias escolhas, seus cortes de cabelos, seus amigos, etc., e ele decidiu que queria ter o cabelo espetado. Dave não tinha problema algum com isso, mas eu estabeleci o limite. Em minha opinião, parecia estúpido ter parte do seu cabelo esticado para cima e o resto dele pendurado para qualquer lado.

Então me lembrei do quanto eu provavelmente parecia ridícula quando era adolescente. Como todas as outras garotas da minha idade, eu usava um lenço na cabeça com o nó amarrado bem no meio do queixo. Que aparência idiota, não é mesmo? Mas eu gostava disso, e no quadro maior das coisas, não fazia diferença.

Depois de pensar um pouco a respeito, percebi que recusar-me a permitir que Danny fizesse seu corte de cabelo estranho não tinha a ver com mantê-lo sob o controle de Deus; tinha a ver comigo tentando controlá-lo. Então decidi permitir que ele usasse o cabelo espetado. Isso não apenas não afetou a vida dele de maneira significativa, como depois de algum tempo passei a gostar do penteado. E o que é mais importante, isso deu a Danny uma sensação de liberdade e de controle sobre sua própria vida, o que ele precisava naquela época. E o melhor de tudo, isso fortaleceu meu relacionamento com ele.

Gosto do que James Dobson disse sobre esse tipo de decisão: "Não jogue fora sua amizade com seu filho adolescente por causa de um comportamento que não tem grande significado moral. Haverá muitos problemas reais que exigirão que você se posicione como uma rocha. Poupe suas grandes armas para esses confrontos cruciais". Escolha suas batalhas com sabedoria!

Em outras palavras, se você realmente quer que sua disciplina seja eficaz, concentre-se no que é importante. Depois volte sua atenção para uma das partes mais difíceis da criação de filhos — aprender a deixar de lado.

CAPÍTULO 14

Mantendo a Simplicidade

Se não fosse por um artigo postado recentemente na Internet, eu não teria ideia de que existe algo chamado *estresse do Pinterest*. Nem estaria ciente de que 42% das mães afirmam que às vezes sofrem desse estrese depois de visitarem essa rede social cheia de trabalhos manuais, temas de festas e receitas. Mas agora que sei sobre sua existência, digo sinceramente que espero que você não esteja entre as afligidas por esse mal.

De acordo com o artigo, os sintomas são terríveis.[8] Eles incluem: ficar acordada até às três da manhã navegando nessa rede, clicando em fotos de enfeites de festas de aniversário feitos à mão enquanto lamenta o fato de acabar comprando os seus em uma loja. Soluçar por um monte de ingredientes caros arruinados que deveriam ser adoráveis

---

8 Lyz Lenz, "How to Raise a Kid Who Isn't Whiny and Annoying", *Huffington Post,* 9 de maio de 2013, http://www.huffingtonpost.com/lyz-lenz/how-to-raise-a-kid-who-isnt-whiny-andnoying_b_3248085.html, acesso em 22 de julho de 2013.

biscoitos em formato de coelhinhos para serem vendidos na feira da escola. Ficar furiosa porque o cartão de Dia dos Namorados que você mesma fez para a festa de sua filha foi superado pelo de outra mãe. E outros traumas do tipo.

Isso não é nada bom! Pensar nisso apenas poderia me deixar grata por meus filhos terem crescido antes da invenção de redes de compartilhamento do tipo "Faça-Você-Mesma" como o Pinterest. Poderia até mesmo me fazer agradecer a Deus porque nos dias antes da Internet, quando eu estava tentando achar o ponto de equilíbrio entre ser uma boa mãe e tudo o mais que eu tinha de fazer, a vida era um pouco mais simples.

Poderia... a não ser por este fato: a vida tinha também seus desafios naquele tempo. Ela não tem sido simples há milhares de anos. Os seres humanos encontram um jeito de complicá-la desde que saíram do Jardim do Éden.

As mães não são exceção. Se duvida, faça uma pesquisa. Pergunte a todas as mães que você conhece se elas estão ocupadas atualmente. Quase sem exceção, a resposta será: "Ah, nem me fale!" Então você ouvirá em detalhes o quanto a agenda de cada uma dessas mães é agitada e exaustiva. Não importa se elas são mães que ficam em casa com seus filhos, mães que têm uma carreira, solteiras ou casadas, você descobrirá que todas entulhamos nossas vidas com tantas obrigações e atividades que não conseguiríamos encaixar nelas nem mais uma única coisa.

Ah, se o próprio Jesus aparecesse e se sentasse à mesa da nossa cozinha pela manhã, a maioria de nós nem sequer teria tempo para receber Sua visita! Teríamos apenas de acenar para Ele a caminho da porta e dizer: "Sinto muito, Senhor. As crianças precisam chegar à escola mais cedo para o ensaio da banda hoje. Tenho uma apresentação para preparar no escritório, e depois do trabalho tenho um jogo de futebol e uma reunião de pais. Simplesmente não tenho nenhum tempo disponível".

É difícil se imaginar realmente dizendo essas coisas a Jesus se Ele estivesse sentado fisicamente em sua casa, não é? Mas espiritualmente, é o que costumamos fazer. Ele disse que nunca nos deixaria, portanto está aqui conosco, pronto para ter comunhão todos os dias... Mas com que frequência paramos e passamos tempo com Ele?

Sei o que provavelmente você está pensando. *Dá um tempo, Joyce! Jesus entende o quanto as mães são ocupadas. Ele sabe que estamos apenas sendo responsáveis e fazendo o que temos de fazer.*

> *Ah, se o próprio Jesus aparecesse e se sentasse à mesa da nossa cozinha pela manhã, a maioria de nós nem sequer teria tempo para receber Sua visita!*

Talvez sim. Mas por outro lado, talvez seja isso também o que Marta pensava. Você se lembra de ter lido sobre ela, não é? Ela era a mulher que na época de Jesus recebeu a Ele e aos Seus seguidores em sua casa, e se ofereceu para recepcionar seu workshop de estudo bíblico.

E ela tinha uma irmã chamada Maria, que se sentou aos pés do Senhor e estava ouvindo o Seu ensinamento. Mas Marta [excessivamente ocupada e atarefada demais] estava entretida em muitos serviços; e ela voltou-se para Ele e disse: "Senhor, não Te importas que minha irmã me deixe para servir sozinha? Diga a ela para me ajudar [para dar uma mão e fazer a parte dela junto comigo]!" Mas o Senhor respondeu-lhe dizendo: "Marta, Marta, você está ansiosa e perturbada com muitas coisas; apenas uma é necessária. Maria escolheu a boa porção [o que é em seu benefício], o que não lhe será tirado".

Lucas 10:39-42

Observe que o problema de Marta não era o fato de estar ocupada. Não há nada de errado em estar ocupada. O problema dela era estar ocupada *demais*. E com muita frequência, esse é o nosso problema também.

Como saber se estamos ocupadas demais?

É fácil. Estamos ocupadas demais quando, como Marta, não temos tempo para passar com o Senhor. Eu a incentivo a crer na Palavra de Deus que diz que se buscarmos a Deus primeiro, todas as demais coisas nos serão acrescentadas (ver Mateus 6:33). Se você dedicar tempo para passar com Deus, descobrirá que o restante do seu tempo será mais produtivo. Se não acredita em mim, experimente e descubra por si mesma.

O Segredo de Começar Bem Seu Dia

Creio firmemente que a maneira de começar bem cada dia é começá-lo com Deus. Amo o Salmo 17:15, que afirma que devemos estar plenamente satisfeitos quando despertamos para nos encontrarmos contemplando Deus e tendo uma doce comunhão com Ele. Talvez, para algumas mães, a melhor maneira de começar seu dia com Deus seja fazer isso antes de sair da cama. Depois de acordar, fique deitada na cama por 10 minutos e fale com Deus. Agradeça a Ele por ajudá-la ao longo do dia antes mesmo dele começar.

Para as mães de primeira viagem, deixe-me inserir um aviso aqui. Quando você tem um bebê que não está dormindo a noite inteira e todo seu horário está descontrolado, o único momento que você tem para dedicar exclusivamente a Deus talvez seja alguns minutos aqui e ali quando seu bebê está tirando uma soneca. Se essa é sua situação atual, simplesmente descanse na misericórdia e na graça de Deus. Ele tem grande compaixão por você. Ele a encontrará e a ajudará de uma forma especial durante esse tempo breve, mas caótico. Deus entende plenamente nossas circunstâncias e situações únicas. Todas nós temos períodos na vida que exigem que nos desviemos do que seria nossa rotina normal, mas não devemos deixar que isso se torne um estilo de vida.

Ter comunhão e um tempo regular com Deus é a coisa mais importante que você deve fazer por si mesma. Até já encorajei mães a pagarem uma babá por algumas horas todas as semanas para que possam passar tempo com Deus se essa for a única opção delas. Não posso enfatizar o suficiente a importância de tirar um tempo para estar com o Senhor. É desse momento que extraímos força e sabedoria para todas as situações da vida. A verdade é que quanto mais ocupadas estivermos e quanto mais responsabilidades tivermos, mais tempo precisamos ter com Ele.

Por que isso é verdade?

Porque se você fizer do tempo com Deus sua prioridade máxima, tudo o mais na sua vida se encaixará. Você terá mais sabedoria divina para identificar o que realmente importa e o que não importa. Você terá mais graça para fazer o que vem primeiro e para deixar o que vem por último alegremente sem fazer — o que, por si só, contribuirá em muito para simplificar sua vida.

E mais, em vez de sair correndo pela porta já de pavio curto e gritando com as crianças, você terá mais paz e paciência com elas. Talvez tenha de mandá-las para a escola com um pacote de biscoito para o lanche em vez de biscoitos feitos em casa — porque você estava com o nariz enfiado na Bíblia e não na sua tigela de bolo — mas você fará isso com uma medida extra de amor e graça tão grande que será melhor para todos.

Se você começar bem o seu dia passando tempo com Deus, você e sua família desfrutarão de uma alegria e de uma paz que nunca experimentaram antes. Falo isso por experiência própria.

Logo após ter me tornado mãe, passei anos frequentando a igreja, participando de conferências, ouvindo mensagens e aprendendo tudo sobre a vida cristã vitoriosa através dos pregadores e de outras pessoas. Mas só comecei a viver em vitória de fato quando passei a me encontrar pessoalmente com Deus na primeira hora da manhã todos os dias. Nunca experimentei alegria contínua e sempre crescente até alinhar minha vida e meus horários com versículos como estes:

Uma coisa pedi ao Senhor, e isto buscarei, indagarei e exigirei [com insistência]: que eu possa habitar na casa do Senhor [na Sua presença] todos os dias da minha vida, para contemplar e olhar a beleza [a doce atratividade e a amabilidade deleitosa] do Senhor e meditar, considerar e indagar no Seu templo.

Salmos 27:4

Pela manhã Tu ouves a minha voz, ó Senhor; de manhã preparo [uma oração, um sacrifício] para Ti e vigio e espero [que Tu fales ao meu coração].

Salmos 5:3

Ó Deus, Tu és o meu Deus; cedo te buscarei...

Salmos 63:1

Talvez você diga: "Mas não sou uma pessoa que madruga!"

Então talvez você queira mudar sua confissão e pedir a Deus que a ajude a se disciplinar para levantar alguns minutos mais cedo, porque as manhãs são extremamente importantes. A Bíblia mostra isso repetidas vezes. Ela nos diz que Jesus se levantava cedo de manhã e orava (ver Marcos 1:35). Ela diz que Abraão, Jacó e Davi, todos eles se levantavam cedo para buscar ao Senhor.

Obviamente, Deus quer que saibamos que a maneira como começamos nosso dia importa! Ainda que você prefira ler e orar mais tarde ao longo do dia, pelo menos tire alguns minutos para dizer "bom dia" ao Senhor e para dizer a Ele que você o ama e precisa dele!

Creio que todas nós precisamos de um tempo diário com Deus para cumprirmos o plano dele para as nossas vidas. Sem isso, não podemos ser as mães, as esposas ou as pessoas que Ele nos chamou para ser. É por isso que o inimigo se esforçará mais para roubar seu tempo com o Senhor do que qualquer outra coisa na sua vida. Seu próprio destino e futuro dependem disso.

Quando entendi isso plenamente, o tempo que eu passava com Deus todas as manhãs se tornou inegociável. Eu lutaria contra um urso por ele se necessário. Se você deseja desenvolver o hábito de passar tempo com Deus na primeira hora da manhã em vez de planejar fazer isso mais tarde — e possivelmente nunca conseguir fazê-lo depois — talvez tenha de parar de ficar acordada até tão tarde. Muitas pessoas que não conseguem se levantar de manhã têm dificuldades porque ficam acordadas até tarde. Talvez precise desligar a televisão mais cedo ou deixar alguns brinquedos no chão e alguns pratos na pia, mas você pode cuidar dessas coisas amanhã depois que tiver um tempo de refrigério com Deus. Recomendo buscar a Deus cedo porque, se fizermos isso primeiro, não haverá como esquecer, mas cada uma de nós precisa descobrir o que funciona para nós. Nosso objetivo deve ser ter comunhão com Deus ao longo de todo o dia, incluindo-o e reconhecendo-o em todos os nossos caminhos (ver Provérbios 3:5-7).

Vestindo-se Espiritualmente

Se esse conceito é novo para você, talvez você esteja se perguntando exatamente o que deveria fazer durante o tempo que passa tempo com o Senhor todos os dias. Antes de lhe dar algumas sugestões, deixe-me dizer algo: o fato de você simplesmente passar tempo com Deus fará uma tremenda diferença. Portanto, não se preocupe excessivamente em fazer a coisa do jeito "certo". Apenas colocando Deus em primeiro lugar no seu dia, você já está dizendo que precisa dele. Você o está honrando, e Ele responderá.

Dito isso, a primeira coisa que gosto de fazer a cada dia é me livrar dos erros cometidos ontem. Se me senti mal com alguma coisa que disse ou fiz, ou acho que falhei de alguma forma, reconheço isso e recebo a misericórdia e o perdão do Senhor. Como diz Lamentações 3:21-23:

> *Isto recordo e portanto tenho esperança e expectativa: É por causa da misericórdia e da bondade do Senhor que não somos consumidos, porque as Suas [ternas] compaixões não falham. Elas se renovam a cada manhã...*

Isso é algo maravilhoso no sistema de Deus: dias de trabalho separados por noites de sono tornam cada manhã um novo começo. Tire vantagem desse fato. Não permaneça zangada consigo mesma pelos erros que cometeu ontem.

> *Não há como ter um bom dia se você estiver se sentindo condenada. Portanto, receba a misericórdia de Deus e comece todos os dias com a ficha limpa.*

Não há como ter um bom dia se você estiver se sentindo condenada. Portanto, receba a misericórdia de Deus e comece todos os dias com a ficha limpa. Se você começar o dia se sentindo culpada, então muito provavelmente ficará rabugenta com seus filhos e depois se sentirá ainda pior consigo mesma. É melhor se arrepender imediatamente e receber a graça, a misericórdia e o perdão de Deus a qualquer momento em que você pecar ou falhar ao longo do dia. Assim você mantém seu espírito leve e livre, sem fardos que a oprimam.

A próxima coisa que faço é agradecer ao Senhor por tudo que consigo lembrar. Você pode agradecer a Deus por poder andar, falar, ver e ouvir. Agradeça a Ele porque você tem água quente, comida para comer e uma família para se levantar e cuidar. Começar cada dia com um coração grato define o tom do dia. A gratidão é realmente uma arma poderosa que expulsa o inimigo!

Creio que meu tempo com Deus se equivale a me vestir espiritualmente. As mulheres passam uma hora arrumando o cabelo, se maquiando e escolhendo a roupa certa... Mas saem pela porta sem se vestirem espiritualmente. A Palavra de Deus nos ensina a nos revestirmos de Cristo, a nos revestirmos da nova natureza que Deus nos deu, a nos revestirmos da misericórdia, a nos revestirmos do amor e de outras coisas do tipo. Isso significa simplesmente que podemos dedicar tempo para firmar nossas mentes na direção de andar no Espírito em vez de correr na carne (na carnalidade).

Reflita sobre estes versículos:

Sejam renovados no espírito das suas mentes... revistam-se com o novo ser, criado de acordo com a semelhança de Deus em verdadeira justiça e santidade.

Efésios 4:23-24

Por isso, vistam toda a armadura de Deus, para que possam resistir no dia mau e permanecer inabaláveis, depois de terem feito tudo. Assim, mantenham-se firmes, cingindo-se com o cinto da verdade, vestindo a couraça da justiça e tendo os pés calçados com a prontidão do evangelho da paz. Além disso, usem o escudo da fé, com o qual vocês poderão apagar todas as setas inflamadas do Maligno. Usem o capacete da salvação e a espada do Espírito, que é a palavra de Deus.

Efésios 6:13-17, NVI

... Porque vocês se despiram do velho ser (não regenerado) com suas práticas malignas, e se revestiram do novo [ser espiritual], que é... renovado e remodelado em conhecimento [sobre conhecimento mais pleno e mais perfeito] segundo a imagem (a semelhança) daquele que o criou.

Colossenses 3:9-10

Meditar em versículos bíblicos como esses e decidir em sua mente obedecê-los com a ajuda de Deus é uma das chaves para uma vida vitoriosa. Quando nos decidimos a andar no Espírito, é muito menos provável que andemos de acordo com a carne.

Dê aos Seus Anjos Algo para Fazer

Todas nós temos anjos ministradores que foram designados para nos ajudar enquanto servimos a Deus.

Porque Ele dará ordem (especial) aos Seus anjos para o acompanharem, defenderem e preservarem em todos os seus caminhos [de obediência e serviço].

Salmos 91:11

Aprendemos com a Bíblia que os anjos escutam (prestam atenção) a Palavra de Deus.

Bendizei ao SENHOR (louvai afetuosamente e com gratidão), vós, os Seus anjos, poderosos que executam as Suas ordens, dando ouvidos à voz da Sua palavra.

Salmos 103:20

Confessar a Palavra de Deus em voz alta foi e é uma parte principal da minha caminhada com Deus. Isso não apenas ajuda a renovar minha mente, creio também que quando confessamos a Palavra de Deus em voz alta, isso dá aos nossos anjos algo para fazer. Eles podem trabalhar para fazer com que essas palavras se tornem realidade em nossas vidas. Mas se começarmos nosso dia reclamando do quanto nos sentimos mal e do quanto temos para fazer, amarramos as mãos deles e eles ficam incapacitados de nos ajudar.

Estas são algumas sugestões de coisas que você pode confessar em voz alta:

- Eu cresço em bênçãos cada vez mais e meus filhos também (ver Salmos 115:14).
- Meu caminho é como a luz da aurora que brilha mais e mais todos os dias. Boas coisas me acontecerão hoje (ver Provérbios 4:18).
- Sou abençoada e sou uma bênção para outros em todo lugar aonde vou (ver Gênesis 12:2).
- Todas as minhas necessidades são atendidas de acordo com as riquezas de Deus em glória por Cristo Jesus, e nada me faltará (ver Filipenses 4:19; Salmos 23:1).
- Deus me ama incondicionalmente (ver Romanos 5:7-8).
- Todos os meus pecados foram perdoados e não há condenação para aqueles que estão em Cristo (ver 1 João 1:9; Romanos 8:1).

- Estou cheia da sabedoria de Deus (ver Tiago 1:5).
- Frutifico em todos os frutos do Espírito Santo (ver Gálatas 5:22-25).
- Sou guiada pelo Espírito Santo (ver Gálatas 5:16; João 16:13).

Eu a encorajo a expandir essa lista para que ela se enquadre a sua vida e necessidades pessoais e a profetizar sobre seu futuro todos os dias! Você tem anjos designados a você que estão ansiosos por trabalhar a seu favor. Uma vez que a Bíblia diz que eles "escutam a voz" da Palavra de Deus, não permita que eles fiquem entediados. Declare a Palavra e dê a eles algo para fazer!

Também uso esse tempo para dispor meu coração para ser uma bênção para os outros. Peço a Deus para me mostrar maneiras de expressar Seu amor a outras pessoas e edificá-las. Ao mesmo tempo, recebo graça e força extra do Senhor para me ajudar a vencer quaisquer fraquezas e suscetibilidades à tentação que tenha percebido em mim mesma.

Oro especialmente pela minha boca, já que dizer coisas que não preciso dizer foi uma área de fragilidade em minha vida.

Jesus disse aos Seus discípulos no Jardim do Getsêmani: "*Orem para que vocês não caiam em [nenhuma] tentação*" (Lucas 22:40). Descobri que essa é uma oração que Deus está sempre disposto e é sempre capaz de responder. Quando você for fraca em alguma área, recomendo que ore por ela regularmente e não apenas quando estiver no meio de uma tentação. Todas nós seremos tentadas, mas certamente podemos confiar em Deus para nos ajudar a não cair.

Apresente todas as suas petições a Deus, peça a Ele qualquer coisa que você necessite e confie que Ele ouve e responde à oração. Lembre sempre que Deus está preocupado com tudo que diz respeito a você e quer estar envolvido em todas as áreas da sua vida. Não há nada pequeno demais ou grande demais para falar com Deus. Jesus enviou o Espírito Santo para estar em íntima comunhão com você, portanto convide-o para entrar em todas as áreas da sua vida, e não meramente naquelas que, em sua opinião, são espirituais.

Você pode ser uma mãe confiante se depender de Deus para todas as coisas e colocar a sua confiança nele. Ele é o seu Parceiro Santo na vida, e com Ele enchendo seu coração, você nunca estará só nem lhe faltará sabedoria para criar seus filhos.

Lembre-se de que, ainda que você ache que só pode passar dez minutos todas as manhãs com o Senhor, comece assim. Esse será um tempo tão frutífero que logo você irá querer dar mais a Ele. Você conseguirá fazê-lo, porque quando você coloca as coisas importantes em primeiro lugar, as distrações desnecessárias, como gastar tempo demais nas redes sociais e em outras coisas, começarão a diminuir gradualmente. Você pode ainda estar ocupada, mas por não estar ocupada demais para passar tempo aos pés de Jesus, a vida se tornará mais simples e mais doce.

Assim como Ele prometeu em Lucas 10:42, você terá aquela "melhor parte" que ninguém poderá tirar.

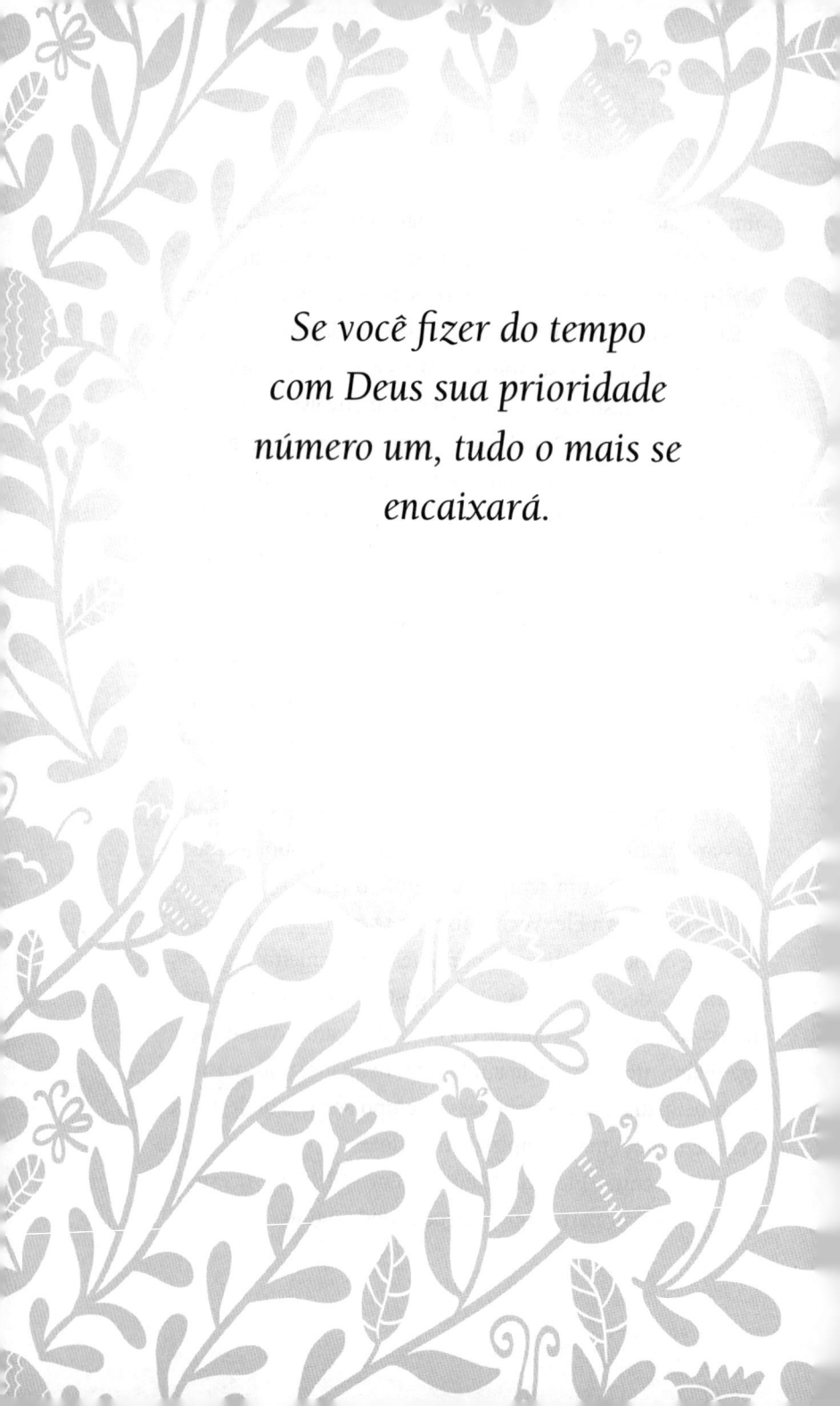

Se você fizer do tempo com Deus sua prioridade número um, tudo o mais se encaixará.

CAPÍTULO 15

Aproveite a Jornada

Minha mãe teve muitos problemas comigo, mas acho que ela gostava disso.

— Mark Twain

Nos primeiros anos da Segunda Guerra Mundial, uma jovem chamada Helen digitou uma coluna de números em uma máquina de somar. Após checar duas vezes os números que havia digitado, ela se certificou de que eles estavam corretos. Então ela os somou e lembrou a si mesma mais uma vez por que estava fazendo aquilo:

Era sua maneira de ajudar as tropas.

Durante oito horas por dia, cinco dias por semana, os meses se transformaram em anos enquanto ela continuava digitando e somando... Digitando e somando. Os números de algum modo pertenciam a aeronaves que estavam sendo construídas para dar suporte à guerra. De modo que, teoricamente, Helen sabia que estava contribuindo para uma causa nobre. Mas cercada por um escritório cheio de outras datilógrafas que faziam o mesmo trabalho, ela também sentiu estas três coisas:

Seu trabalho não parecia muito importante.

Ninguém jamais iria valorizá-la por fazer aquilo.

E não era divertido.

Essas percepções não eram únicas. As colegas de trabalho de Helen também chegaram a essa conclusão. Durante os intervalos para o café e na hora do almoço, elas resmungavam acerca do trabalho penoso que faziam todos os dias. Elas suspiravam em alta voz por oportunidades mais empolgantes e maiores recompensas. Então se arrastavam de volta para suas mesas e trabalhavam apenas o suficiente para não serem despedidas.

Helen, porém, escolheu um caminho diferente. Ela decidiu transformar a tarefa entediante de digitar números aos milhares em um jogo. Atenta à sua própria velocidade e precisão, a cada dia ela tentava superar o que havia realizado no dia anterior. Ela encontrou maneiras de trabalhar mais rápido e cometendo menos erros. Ela dava os parabéns a si mesma, celebrava seu progresso e agia todos os dias como se, fazendo bem seu trabalho, ela pudesse com uma única mão vencer toda a guerra.

Nesse processo, ela começou a se divertir.

Também perceberam seu empenho e ela foi promovida. O que foi ótimo, mas esse não havia sido necessariamente seu objetivo. O que Helen havia se disposto a fazer foi desfrutar sua vida, todos os dias, independentemente das circunstâncias que a cercavam.

Finalmente, a guerra terminou e ela se casou e tornou-se mãe, mas não abandonou sua determinação. Quando seu marido conseguiu um emprego que o mantinha fora da cidade por longos períodos de tempo, ela transformava sua ausência em uma aventura. Ela criou um jogo no qual precisava inventar coisas inesperadas para seus filhos fazerem enquanto seu marido estava fora. "Em vez de jantar na mesa hoje, vamos fazer um piquenique dentro de casa!" ela dizia, enquanto estendia uma colcha no chão da sala de visitas. Ou "Sei que estamos no meio da semana, mas vamos ao cinema!"

Ao designar tarefas para seus filhos, ela sutilmente passou sua atitude para eles. "Se vocês conseguirem terminar seu trabalho em uma hora e fizerem tudo direito", ela dizia, "vamos comemorar depois".

"O que vamos fazer?" eles perguntavam. "Como vamos comemorar?"

Ela respondia com um sorriso astuto, sabendo que o mistério aumentaria a diversão. "Confiem em mim. Vocês vão ver".

Os filhos de Helen agora são adultos. Eles têm seus próprios filhos e netos. Mas ainda se alegram com as lembranças criadas por sua mãe quando eles eram pequenos. Eles ainda guardam isto como um dos legados mais preciosos que ela lhes deixou:

Ela lhes mostrou como desfrutar os momentos comuns da vida diária.

Tigelas de Cereais, Ovos Mexidos e Recompensas Eternas

Aprecio o quanto um legado como o de Helen pode ser importante. Já tive experiências suficientes para saber que, na maioria das vezes, a vida acontece nos momentos comuns. A alegria e a realização são ganhas ou perdidas pela maneira como encaramos as tarefas pequenas, aparentemente mundanas da vida no dia a dia. É por isso que, ao encerrar este livro, quero deixar este desafio com você: aproveite a jornada da maternidade.

Alguns especialistas me aconselhariam a não dizer isso. Eles afirmam que não é realista dizer às mulheres para desfrutarem toda a experiência da maternidade. Indicando que ninguém em perfeito juízo tem prazer em lidar com um bebê cujos dentes estão nascendo ou fica animado em esfregar rabiscos de lápis de cera das paredes, eles advertem que sugerir

> *É por isso que, ao encerrar este livro, quero deixar este desafio com você: aproveite a jornada da maternidade.*

que as mães deveriam de algum modo aproveitar tudo isso coloca sobre elas uma pressão desnecessária.

Entendo que isso é em parte verdade. E eu jamais iria querer que você se sentisse culpada pelas vezes em que talvez tenha tido um dia difícil ou ficado um pouco desanimada. Mas também acredito que há uma perspectiva bíblica que pode fazer com que até as tarefas mundanas e repetitivas se tornem mais satisfatórias. Existem algumas coisas que você pode lembrar que renovarão seu entusiasmo quando os desafios diários de ser mãe tentarem oprimi-la.

A primeira é esta: o próprio Jesus observa e valoriza tudo o que você faz pela sua família. Ele atribui um significado eterno a coisas como lavar tigelas de cereais, dobrar toalhas de banho e esfregar pisos que dentro de questão de horas estarão sujos outra vez. Deus sempre recompensa a fidelidade e o esforço que você faz para servi-lo com satisfação.

Durante Sua vida na Terra, Jesus dedicou alguns dos Seus momentos mais preciosos a essas tarefas simples. Nas horas antes da sua crucificação, por exemplo, Ele passou tempo lavando os pés dos Seus discípulos. Ele também garantiu que eles não perdessem a mensagem que havia por trás disso. *"Pois bem, se eu, sendo Senhor e Mestre de vocês, lavei-lhes os pés, vocês também devem lavar os pés uns dos outros. Eu lhes dei o exemplo, para que vocês façam como lhes fiz"* (João 13:14-15, NVI).

Alguns dias após Sua ressurreição, Ele fez o mesmo tipo de coisa novamente. Restando-lhe apenas pouco tempo para passar com Seus discípulos, Ele separou tempo uma manhã para preparar o café da manhã para eles (ver João 21:9). Pense nisto: Jesus, o Rei dos reis ressurreto e Senhor dos Senhores, cozinhando o café da manhã! Preciso dizer que eu absolutamente amo esse exemplo!

Considerando que Ele nunca desperdiçava Seu tempo fazendo o que não era importante, se Jesus lavou pés e preparou refeições, foi porque essas coisas importam — e muito. Como mãe, você desfrutará mais sua vida se tiver isso em mente. Lembre-se, quando estiver com água até os cotovelos lavando a louça na pia ou mexendo mais uma frigideira cheia de ovos, ou debaixo da mesa da cozinha tentando enxugar o leite derramado enquanto tenta se esquivar de todos os pés que estão em volta da sua cabeça, que você não está apenas servindo à sua família, você está agradando a Jesus. Você está demonstrando amor a eles assim como Ele demonstra, e está fazendo exatamente o que Ele quer que você faça. O amor não é algo meramente teórico, ou uma palavra que usamos, mas é uma ação manifesta de formas práticas e benéficas.

Pelo fato de que talvez você não receba muito reconhecimento por isso daqueles que a cercam, eis outra coisa que você deve ter em mente: com cada ato de serviço amoroso, você está acumulando recompensas eternas. A sociedade pode não aplaudi-la e muito do seu trabalho pode passar despercebido, mas de acordo com a Bíblia, Deus registra tudo que você faz. Assim...

Seja qual for a sua tarefa, trabalhem nela de todo o coração (com a alma), como [algo feito] para o Senhor e não para os homens, sabendo [com toda certeza] que... vocês receberão a herança que é a sua recompensa [verdadeira]. [Aquele a Quem] vocês estão realmente servindo [é] o Senhor Cristo (o Messias).

Colossenses 3:23-24

A última coisa que eu a encorajo a lembrar é esta: Jesus veio para que você possa "*... ter e desfrutar a vida, e tê-la em abundância (ao máximo, até transbordar)*" (João 10:10). Portanto, aceite a oferta dele. Se alguém sabe como celebrar os momentos comuns da vida, esse alguém é Jesus. Ele é Aquele que transformou água em vinho no casamento de Caná para que a festa pudesse continuar. Ele está por trás de todas as festas e celebrações que os israelitas desfrutaram por milhares de anos.

Portanto, peça a Ele para lhe mostrar como tornar a vida diária mais divertida — para você e para seus filhos. Deixe que Ele lhe ensine, como ensinou a uma jovem mãe durante a Segunda Guerra Mundial, a desfrutar a jornada da vida de tal maneira que você possa transmitir sua alegria para as futuras gerações.

Talvez você pergunte: "Posso confiar que Ele fará isso por mim?"

Sem dúvida alguma!

CONCLUSÃO

Ao virar estas últimas páginas de *A Mãe Confiante*, deixe-me ser a primeira a dizer: *Parabéns! Você conseguiu!*

Estou parabenizando você não apenas por ser uma mãe que terminou de ler um livro (apesar de que, com a agenda cheia que tem, essa é por si só uma enorme realização!), mas também porque você é uma mãe que embarcou vitoriosamente em uma nova jornada.

O caminho da maternidade nunca se destinou a ser trilhado com ansiedade ou apreensão. Você não foi criada para se mortificar por cada erro, para questionar cada passo dado ao longo do caminho nem para entrar em pânico diante de cada bifurcação da estrada. A jornada de uma mãe é um presente de Deus, e os presentes de Deus nunca devem ser temidos — somente celebrados!

Oro para que este livro tenha lhe dado a confiança para começar a celebrar outra vez.

Independentemente de onde você se encontra ao longo da rota da maternidade, deixe-me encorajá-la a aproveitar cada passo deste momento em diante. O entusiasmo da gravidez, as provações dos primeiros dentes, o primeiro dia de escola, as aventuras de verão, as lições sobre disciplina, as conversas tarde da noite, as visitas ao colégio e a transição para a vida adulta... Tudo pode ser vivido com alegria e com uma confiança inabalável de que Deus está no controle.

A Palavra de Deus diz: *"Porque Deus não nos deu espírito de timidez (de covardia, de medo que se acovarda e se encolhe e bajula), mas [Ele nos deu um espírito] de poder e de amor e de calma e uma mente equilibrada..."* (2 Timóteo 1:7). Se há um versículo para as mães, é esse! *A timidez, a covardia e o medo* são coisas do passado! *Poder, amor e calma* estão reservados para o seu futuro!

Creio que hoje é um novo dia para você e sua família. Deus lhe dará poder renovado enquanto você luta por seus filhos, novo amor em seu lar e nos seus relacionamentos uns com os outros, e uma nova calma à medida que você o buscar para ter Sua direção em cada decisão relacionada à maternidade.

Eu a incentivo a crer que o seu trabalho de ser mãe é um dos trabalhos mais importantes de todo o mundo. Afinal, sem as mães, nenhuma de nós sequer estaria aqui. Portanto, faça seu trabalho com confiança e alegria, e creia de todo o coração que você e Deus estão em uma parceria para criar e cuidar da próxima geração de homens e mulheres valorosos de Deus.

Não desperdice nem mais um instante. Sua nova jornada começou. Deste dia em diante, celebre sua vida como *A Mãe Confiante* que Deus a criou para ser!

Sobre a Autora

Joyce Meyer é uma das líderes no ensino prático da Bíblia no mundo. Renomada autora de *best-sellers* pelo *New York Times*, seus livros ajudaram milhões de pessoas a encontrarem esperança e restauração através de Jesus Cristo.

Através dos *Ministérios Joyce Meyer*, ela ensina sobre centenas de assuntos, é autora de mais de 80 livros e realiza aproximadamente quinze conferências por ano. Até hoje, mais de doze milhões de seus livros foram distribuídos mundialmente, e em 2007 mais de três milhões de cópias foram vendidas. Joyce também tem um programa de TV e de rádio, *Desfrutando a Vida Diária®*, o qual é transmitido mundialmente para uma audiência potencial de três bilhões de pessoas. Acesse seus programas a qualquer hora no site www.joycemeyer.com.br

Após ter sofrido abuso sexual quando criança e a dor de um primeiro casamento emocionalmente abusivo, Joyce descobriu a liberdade de viver vitoriosamente aplicando a Palavra de Deus à sua vida, e deseja ajudar outras pessoas a fazerem o mesmo. Desde sua batalha contra um câncer no seio até as lutas da vida diária, Joyce Meyer fala de forma aberta e prática sobre sua experiência, para que outros possam aplicar o que ela aprendeu às suas vidas.

Ao longo dos anos, Deus tem dado a Joyce muitas oportunidades de compartilhar seu testemunho e a mensagem de mudança de vida do Evangelho. De fato, a revista *Time* a selecionou como uma das mais influentes líderes evangélicas dos Estados Unidos. Sua vida é um incrível testemunho do dinâmico e restaurador trabalho de Jesus Cristo. Ela crê e ensina que, independente do passado da pessoa ou dos erros cometidos, Deus tem um lugar para ela, e pode ajudá-la em seus caminhos para desfrutar a vida diária.

Joyce tem um merecido PhD em teologia pela Universidade Life Christian em Tampa, Flórida; um honorário doutorado em divindade pela Universidade Oral Roberts em Tulsa, Oklahoma; e um honorário doutorado em teologia sacra pela Universidade Grand Canyon em Phoenix, Arizona. Joyce e seu marido, Dave, são casados há mais de quarenta anos e são pais de quatro filhos adultos. Dave e Joyce Meyer vivem atualmente em St. Louis, Missouri.

CONFIRA NOSSAS PROMOÇÕES